D1266985

Mundo Imaginable

Mundo Imaginável

Imaginable World

Global Crossing®

Global Crossing
200 Park Avenue, Suite 300
Florham Park, NJ 07932
New Jersey, USA
Tel: 1.973.937.0100

Global Crossing Argentina
Alférez Pareja, 256
C1107BJD Buenos Aires,
República Argentina.
Tel: 54.11.5170.0000
Fax: 54.11.5170.6500
0.800.800.4562

Global Crossing Brasil
Av. Eid Mansur, 666
Rod. Raposo Tavares, Km 25
Cotia, SP, Brasil.
Cep. 06708.070
Tel: 55.11.3957.2200
Fax: 55.11.3957.2300
0.800.771.4747

Global Crossing Chile
Av. Presidente Kennedy, 5735
Edificio Marriott,
Torre Poniente Of. 802
Las Condes, Santiago, Chile.
Tel: 56.2.422.5900
Fax: 56.2.422.5999

Global Crossing Colombia
Autopista Norte No 122-35
Piso 4 al 7.
Bogotá, Colombia.
Tel: 57.1.611.9000
Fax: 57.1.433.5968

Global Crossing Ecuador
Urbanización Iñaquito Alto
Calle Juan Díaz, No 37-111
Quito, Ecuador.
Tel: 593.2.226.4101
Fax: 593.2.246.5066

Global Crossing México
Lago Zurich,
Colonia Ampliación Granada
Del. Miguel Hidalgo
México D.F. 11529
México.
Tel: 52 55 2581 6270
Fax: 52 55 2581 8290

Global Crossing Panamá
0851 Av. Arnulfo Arias y
Calle Remon Levy
Amador, Panamá,
República de Panamá.
Tel: 507 314 0324 / 1172
Fax: 507 314 0317

Global Crossing Perú
Av. Manuel Olguín 395
Santiago de Surco,
Lima 33, Perú.
Tel: 51 1 705 5700
Fax: 51 1 705 5718

Global Crossing USA - Florida
701 Waterford Way
Suite 390
Miami FL, 33126, USA.
Tel: 1.305.808.5900

Global Crossing Venezuela
La Urbina, Calle 7
Caracas 1070,
Venezuela.
Tel: 58.212.243.5044
Fax: 58.212.241.6948
0.800.4677.288

www.globalcrossing.com

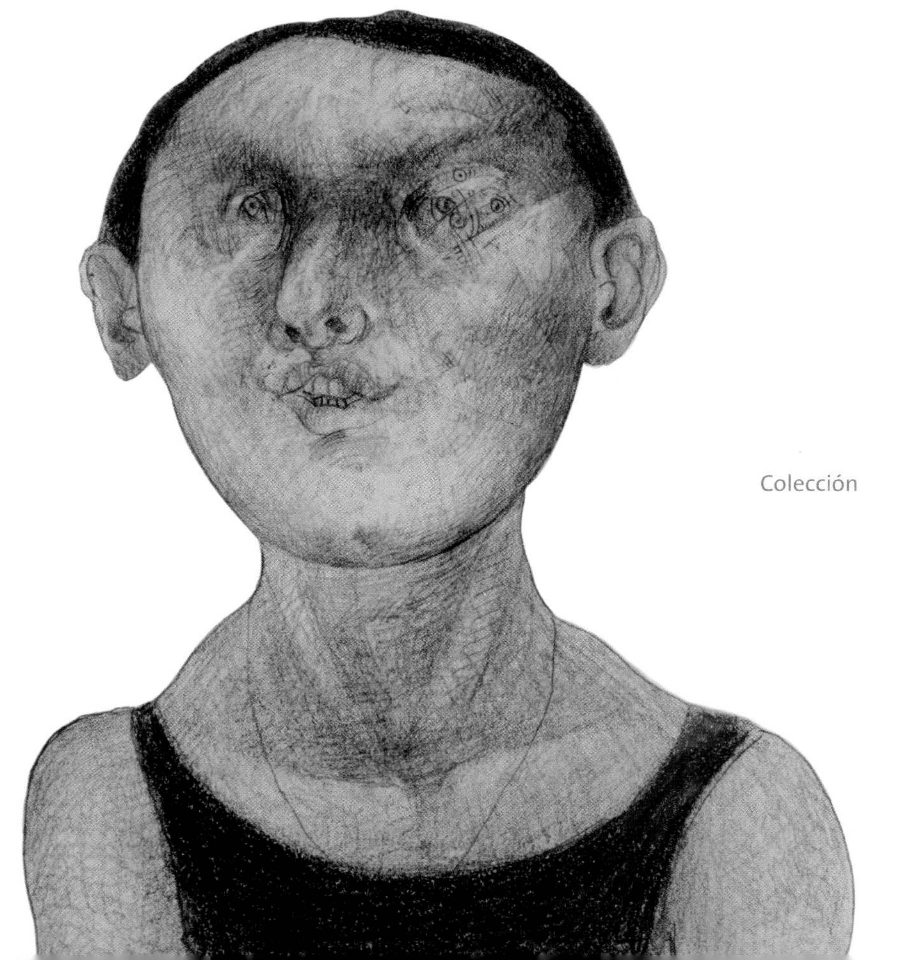

Colección

Coleção

Collection

14

¿Cómo explicar una combinación perfecta?

Ésta se puede entender como el resultado de la unión de diferentes elementos en que nace, por ejemplo, un concepto. Una muestra de ello, es que si el físico inglés James Clerk Maxwell, no hubiera encontrado la fórmula matemática para introducir el significado de onda electromagnética, no podríamos explicar el auge que han experimentado las telecomunicaciones convirtiéndose hoy en una herramienta fundamental para la vida de las personas.

Hace 14 años se pensó en una combinación perfecta: resaltar lo mejor de cada país a través del arte, obteniendo un exitoso resultado. A lo largo de este tiempo han participado en esta iniciativa grandes artistas latinoamericanos y que hoy, luego de la unión de dos sociedades, surge Global Crossing, continuando el camino recorrido con la apuesta de plasmar el arte en un libro.

Según algunas personas, los libros son una manera de expresar la forma en que un ser humano toma todo su conocimiento respecto al mundo, y lo manifiesta a partir de hojas con letras. En este caso las imágenes son parte fundamental para que aquellas letras tomen su curso en la imaginación de cada uno. Para Gonzalo Cienfuegos, prestigioso artista chileno, los sueños y vivencias forman un conjunto de su imaginación, que a través de colores y formas, logra plasmar en esta edición perfecta.

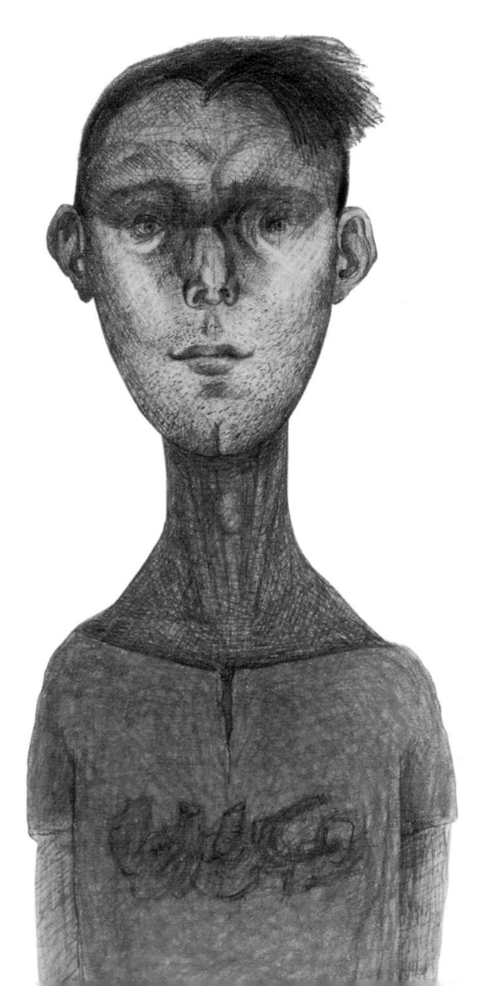

How can one explain a perfect combination?

It can be understood as the outcome of the joining of two different elements; where, for example, a concept is born. One example: had British physicist James Clerk Maxwell not discovered the mathematic formula that unlocked the meaning of electromagnetic waves, we would have been unable to explain the surge that telecommunications have experienced and that has made them an essential tool in people's lives.

Fourteen years ago, someone thought of a perfect combination that yielded a successful result: underscoring the best each country has to offer through art. Since that time, great Latin American artists have taken part in this initiative that - after the fusion of two partnerships - spawned Global Crossing, which continues on the same path with plans to shape these works of art into a book.

Some say that books are a form of expressing the way that humans absorb knowledge about the world, and that they manifest this process through pages with letters. In this framework, images play a vital role in guiding those letters into the imagination of each person. For famed Chilean artist Gonzalo Cienfuegos, dreams and experiences constitute a uniting of the imagination - that, through colors and shapes, mold the same imagination by way of this perfect edition.

Como explicar uma combinação perfeita?

Pode-se entender isso como o resultado da união de diferentes elementos em que nasce, por exemplo, um conceito. Uma amostra disso é que se o físico inglês James Clerk Maxwell, não tivesse encontrado a fórmula matemática para introduzir o significado de onda eletromagnética, não poderíamos explicar o auge atingido pelas telecomunicações, sendo hoje uma ferramenta fundamental na vida das pessoas.

Há 14 anos pensou-se numa combinação perfeita que resultou um sucesso: ressaltar o melhor de cada país através da arte. Ao longo desse tempo têm participado desta iniciativa grandes artistas latino-americanos e hoje, após a união de duas sociedades, surge a Global Crossing, continuando o caminho percorrido com a aposta de transformar arte em livro.

Segundo algumas pessoas, livros são uma maneira de expressar a forma em que o ser humano toma conhecimento do mundo e o manifesta a partir de letras sobre páginas. Neste caso as imagens são parte fundamental para que essas letras tomem seu curso na imaginação de cada um. Para Gonzalo Cienfuegos, famoso artista chileno, os sonhos e experiências formam o conjunto de sua imaginação, que através de cores e formas consegue transformar nesta edição perfeita.

obra gráfica

obra gráfica
graphic art works

Dibujos Neo-Románticos de Cienfuegos

El dibujo es un género que ha acompañado al hacer artístico de la humanidad, desde sus primeros días. De eso hace ya veinte y cinco mil años, y bien podemos imaginar que sorprendieron al coetáneo que los vio surgir en espacios de culto, como Altamira y Lascaux, con similar fuerza a la que lo hacen en la actualidad.

Sin embargo, a pesar de su continua producción y antigua data, el *status* que el dibujo ha tenido en la valorización del arte occidental, ha sido variable. Difícil es saber en qué momento fue confinado al rol de puente entre una idea y su imagen definitiva, vale decir, en estructura preparatoria para lograr luego pinturas, esculturas e incluso obras de arquitectura.

Pero ésta instrumentalización no lo destruyó como género de arte, y supo reposicionarse, pudiedo recuperar su *status* de obra autónoma a fines del s. XIV. Según el Historiador de Arte, Milan Ivelic, "será en el alto renacimiento (s. XV) donde el dibujo alcanza su plenitud, especialmente con Leonardo Vasari, fundador de la Academia de Florencia, (quien) definió el dibujo como *padre de todas las artes* y reunió la primera colección sistemática de valor autónomo".[1]

Desde ese momento, será la Academia quien otorgue al dibujo el privilegio de ser "la plaza central" de las Bellas Artes, tanto para explora el paisaje; la figura humana; la simetría; y la perspectiva, estando en la base de la formación de todo artista, aunque su trabajo finalmente se exprese en otros lenguajes, práctica que se realiza en la actualidad en la mayoría de la escuela de arte universitaria o independiente.

[1] *Palma, Cecilia (Ed.) Pintores Chilenos, sus bocetos y dibujos, Ed, Cecilia Palma Galería de Arte, Stgo, 2002. Pág.*

Neo-romantic drawings by Cienfuegos

Drawing is a genre which has accompanied human artistic creation from its earliest days. It has been twenty five thousand years, and yet we can imagine that the drawings of the caves of Altamira and Lascaux, which were places of veneration, dazzled the people of that time with the same intensity they do today.

Despite its continuous production and its historical origins, the status of drawing within occidental art has varied. It is difficult to establish when exactly its role as a bridge between an idea and its definitive image was defined as a preparatory structure from which to later create paintings, sculptures and even architectural works.

However, this instrumentalization did not devastate its image as an art form and repositioned drawing allowing it to recover its status as an autonomous form towards the end of the XIV century. According to the Art historian Milan Ivelic, "drawing will reach its full potential in the High Renaissance (XV century), especially with Leonardo Vasari, founder of the Academy of Florence who defined drawing as the father of all the arts and created the fist systematic collection with autonomous value."[1]

From that moment onward, it was the Academy who gave drawing the status of being "the central plaza" of the Arts, for exploring the landscape, the human figure, symmetry, and perspective and part of any artist's education even if his work was later expressed in another language, as is the case in the majority of independent or university art schools.

[1] *Palma, Cecilia (Ed.) Chilean Painters, their sketches and drawings, Ed, Cecilia Palma Gallery of Art, Santiago, 2002. p. 8.*

Dibujos Neo-Románticos de Cienfuegos

O desenho é um gênero que acompanhou o fazer artístico da humanidade, desde os seus primórdios. Passaram-se vinte e cinco mil anos, e podemos imaginar bem que surpreenderam o contemporâneo que os viu surgir em espaços de culto, como Altamira e Lascaux, com similar força à qual também surpreendem nos dias atuais.

Contudo, apesar de sua contínua produção e antiga data, o status que o desenho ocupou na valorização da arte ocidental foi variável. Difícil é saber em que momento foi confinado ao papel de ponte entre uma idéia e a sua imagem definitiva, ou melhor, em estrutura preparatória para obter em seguida pinturas, esculturas e inclusive obras de arquitetura.

Porém, esta instrumentalização não o destruiu como gênero de arte, e soube reposicionar-se, podendo recuperar o seu status de obra autônoma ao final do séc. XIV. Segundo o Historiador de Arte, Milan Ivelic, "será no alto renascimento (séc. XV) onde o desenho alcançará a sua plenitude, especialmente com Leonardo Vasari, fundador da Academia de Florença, (quem) definiu o desenho como pai de todas as artes e reuniu a primeira coleção sistemática de valor autônomo".[1]

A partir desse momento, será a Academia que concederá ao desenho o privilégio de ser "o local central" das Belas Artes, tanto para explorar a paisagem, a figura humana, a simetria e a perspectiva, estando na base da formação de todo artista, ainda que o seu trabalho finalmente se expresse em outras linguagens, prática que se realiza atualmente na maior parte da escola de arte universitária ou independente.

[1] *Palma, Cecilia (Ed.) Pintores Chilenos, seus esboços e desenhos, Ed, Cecilia Palma Galeria de Arte, Stgo, 2002.*

Consideramos además un elemento esencial en el alto rango adquirido por el dibujo, el hecho de que es un espacio de creación con una fuerte carga de a-temporalidad. Espectadores y cultores del arte, han podido apreciar el cómo en su interior disminuyen distancias de épocas y estilos. Tanto así, que es posible afirmar que muchas veces repararamos en las similitudes expresivas que unen a dibujos de algún artista contemporáneo, con los de Da Vinci (1452-1519), Caravaggio (1571-1610), o Watteau (1864-1721).

Sin embargo cada cierto tiempo, artistas, coleccionistas y críticos, tuvieron que defender el valor *en - sí* del dibujo, en contraposición a una mirada que se inclinaba por desvalorarlo, poniendo énfasis en la precariedad de sus medios, ante la "riqueza" -por ejemplo- de los materiales de un pintor.

Afortunadamente desde inicios del siglo XX, esta práctica se viene diluyendo gracias a obras gravitantes (ente otros) de Picasso, Matisse y de los influyentes profesores de la Bauhaus, Klee y Kandinsky, para quienes este arte posee su lenguaje y valor propio, al interior de un universo que se señala como Gráfica.

El dibujo será además materia esencial de conquistas plásticas, como las logradas en los ejercicios del Dadá, y luego en las realizadas por el Surrealismo, poseyendo en la actualidad reinterpretaciones tan osadas como las que propuso Sol Lewit, que termina por instalarlo con valor de obra en proceso.[2]

En Chile, Gonzalo Cienfuegos es uno de los destacados artistas que cree (y extienden entre sus alumnos) el valor del dibujo como territorio de exploraciones profundas. Desde sus inicios ha buscado en el dibujo el ejercicio de la libertad. Reconoce que, en cuanto es percibido, genera una distancia con lo dibujado, acusando claramente la abstracción que se ha producido al pasar el objeto desde la realidad, al arte. Esto es sustancial, puesto que en sus obras parte siempre desde el universo sensible, vale decir, desde el entorno perceptible -y con ello lugar común de una lógica posible de compartir como fuente de información- para articular acto seguido, una nueva realidad en donde la mímesis retrocede.

[2] *Op. Cit. Pág. 9*

Another central element in the high status acquired by drawing is the fact that it is a space for creation that offers a strong sense of atemporality. Spectators have been able to appreciate how on the inside of drawings the distances of time and style are diminished. So much so, that sometimes the similarities between the drawings of contemporary artists and those of Da Vinci (1452-1519), Caravaggio (1571-1610), or Watteau (1864-1721) are striking.

Nevertheless, at certain times, artists, coalitionists and critics have had to defend the value of drawing in itself, when confronted with a vision which tended towards devaluing it by emphasizing the precariousness of its devices in comparison to for example the "richness" of a painters materials.

Fortunately from the early XX century this practice has been diminishing thanks to the crucial works of (among others) Picasso, Matisse as well as of the influential professors of Bauhaus, Klee and Kandisky, for whom this art possesses its own language an value, within a universe which is known as Graphic.

Drawing further became an essential subject for works in plastics such as those of Dada, and later in Surrealism, giving way to current daring interpretations such as those of Sol Lewit, who establishes it as a work in process.[2]

[2] *Op. Cit. p. 9*

In Chile, Gonzalo Cienfuegos is one of the renowned artists who believes in (and promotes among his students) the value of drawing as a territory for profound exploration. From his beginnings he has used drawing as an exercise of liberty. He recognized that, when it is perceived it generates a distance with what was drawn, due to the abstraction produced when the object is moved from reality to art. This is significant, given that his work always starts from a sensitive universe, or a perceptive environment – as well as from a common space where logic can be shared as a source of information – in order to articulate a new reality in which the mimesis moves backwards.

Consideramos também um elemento essencial na alta categoria adquirida pelo desenho, o fato de que é um espaço de criação com uma forte carga de atemporalidade. Espectadores e cultores da arte puderam apreciar como em seu interior diminuem distâncias de épocas e estilos, de tal forma que é possível afirmar que muitas vezes reparamos nas semelhanças expressivas que unem desenhos de algum artista contemporâneo aos de Da Vinci (1452-1519), Caravaggio (1571-1610), ou Watteau (1864-1721).

Entretanto, em cada determinado tempo, artistas, colecionadores e críticos tiveram que defender o valor em si do desenho, em contraposição a um olhar que se inclinava por desvalorizá-lo, enfatizando a precariedade de seus meios, diante da "riqueza" - por exemplo - dos materiais de um pintor.

Felizmente, desde o início do século XX, esta prática vem sendo difundida graças a obras gravitantes (ente outros) de Picasso, Matisse e dos influentes professores da Bauhaus, Klee e Kandinsky, para os quais esta arte possui a sua linguagem e valor próprio, ao interior de um universo que se designa como Gráfica.

O desenho será, outrossim, matéria essencial de conquistas plásticas, como as alcançadas nos exercícios do Dada, e depois nas realizadas pelo Surrealismo, possuindo atualmente re-interpretações tão ousadas como as que propôs Sol Lewit, que termina por instalá-lo com valor de obra em processo.[2]

No Chile, Gonzalo Cienfuegos é um dos destacados artistas que considera (e propaga entre os seus alunos) o valor do desenho como território de explorações profundas. Desde quando começou, buscou no desenho o exercício da liberdade. Reconhece que, enquanto é percebido, gera uma distância com o desenhado, acusando claramente a abstração que foi produzida ao passar o objeto a partir da realidade, à arte. Isto é substancial, uma vez que, em suas obras, parte sempre do universo sensível, ou melhor, do ambiente perceptível - e com isso lugar comum de uma lógica possível de compartilhar como fonte de informação - para articular, ato contínuo, uma nova realidade onde a mimese retrocede.

[2] *Op. Cit. p. 9*

El dibujo es en este artista la avanzada, el lugar desde donde extiende sus espacios, explora en temáticas y emociones. Una especie de punta de flecha que abre o atraviesa aquello que convoca su atención, para poder así ampliar su vocabulario iconográfico.

El espectador puede apreciar en las reproducciones que contiene este libro, que sus obras no se esfuerzan en diseñar personajes naturalistas y de caracteres sicológicos. Son figuras con rasgos antropomórficos, reconocibles como humanos o animales. Paisajes con estructuras tan improbables, que solo resta gozarlos en la presencia ontológica propia del dibujo: sus líneas son disparatadas desde la mirada mimética, e incluso el color, solo existe en ellos siguiendo la poética que crean los trazos sobre el papel.

Es de radical importancia comprender que Cienfuegos no ofrece solo un conjunto de obras graficas -individuales o en serie- sino un *proyecto de arte*.

Esto, ya que es posible observar una estrategia creativa en la que el realizador va más allá de la producción de obras, creando un microclima en el cual se articulan las bases de un lenguaje capaz de producir bienes culturales diversos, en un tiempo prolongado.

Centrándonos en sus dibujos, los códigos que va creando al interior de su *proyecto de arte*, generan una movilidad que produce pautas asimilables por otros realizadores, y que nos permitimos definirlo como Neo-romántico, término que esperamos aclarar y compartir con el lector.

Nuestro concepto se basa en apreciar en sus obras, el juego de dos principios básicos. Uno proveniente del Romanticismo histórico: su esfuerzo por generar imágenes que no activan la lógica cognoscitiva, sino que estimulan los placeres de la imaginación. El otro, la aplicación a su mirada del filtro de un recurso muy querido por la postmodernidad: la *ironía*.

The drawing for this artist is a place from which he extends his spaces and explores themes and emotions; a sort of arrow point which opens up or crosses though that which comes to your attention in order to broaden your iconographic vocabulary.

In the reproductions in this book the spectator can appreciate that his works do not attempt to design naturalistic or psychological characters. They are figures with anthropomorphically features, recognizable as humans or animals. Landscapes with structures that are so improbable that one can only enjoy them in the ontological presence of the drawing: the lines are absurd from the mimetic perspective, and even color only exists in them following the poetry created by the lines on the paper.

It is crucially important to understand that Cienfuegos does not simply offer an ensemble of graphic works – individual or in series- but a project of art.
It is possible to observe a creative strategy in which the creator goes beyond the production of the works, creating a microclimate in which the bases of a language capable of producing diverse cultural forms is articulated over an extended period of time.
Focusing on his paintings, the codes which he creates within this project of art, generate a mobility that produce guidelines that can be shared by other artists and which allow us to define him as Neo-romantic, a term which will be clarified later on for the reader.

Our concept is based on appreciating in his work the expression of two basic principles. One originates from historical Romanticism: his effort to create images which do not activate cognitive logic, and instead stimulate the pleasures of the imagination. The other, is the application of a resource very much valued by post modernity: irony.

O desenho é neste artista a linha de frente, o lugar a partir do qual se estendem os seus espaços, explora em temáticas e emoções. Uma espécie de ponta de flecha que abre ou atravessa aquilo que chama a sua atenção, para poder, assim, ampliar o seu vocabulário iconográfico.

O espectador pode apreciar nas reproduções contidas neste livro que as suas obras não se esforçam em desenhar personagens naturalistas e de características psicológicas. São figuras com traços antropomórficos, reconhecíveis como humanos ou animais. Paisagens com estruturas tão improváveis que só achar graça deles na presença ontológica própria do desenho: suas linhas são despropositadas a partir do olhar mimético, e inclusive a cor, só existe neles seguindo a poética que criam os traços sobre o papel.

É de radical importância compreender que Cienfuegos não oferece apenas um conjunto de obras gráficas - individuais ou em série – mas também um projeto de arte.

Assim, já que é possível observar uma estratégia criativa na qual o realizador vai mais além da produção de obras, criando um micro-clima no qual se articulam as bases de uma linguagem capaz de produzir bens culturais diversos, em um tempo prolongado.

Centrando-nos em seus desenhos, os códigos que vai criando no interior do seu projeto de arte geram uma mobilidade que produz pautas assimiláveis por outros realizadores, e que nos permitimos defini-lo como Neo-romântico, termo que esperamos esclarecer e compartilhar com o leitor.

Nosso conceito baseia-se em apreciar em suas obras o jogo de dois princípios básicos. Um proveniente do Romantismo histórico: seu esforço por gerar imagens que não ativam a lógica cognoscitiva, mas sim que estimulam os prazeres da imaginação. O outro, a aplicação ao seu olhar do filtro de um recurso muito querido pela pós-modernidade: a ironia.

Para compartir esta definición, es necesario apreciar (incluso en una selección de sus dibujos) que este artista ha construido su obra grafica (y pictórica) partiendo siempre desde una realidad que lo apela, y a la cual responde desde el espesor de un bagaje "cultural", tensionado por su internalización. Vale decir, va al *ser* (u objeto) "cultural", para "conocerlo" y ofrecerlo al espectador, no como "información" si-no como placer para la imaginación, tal como lo buscaron los artistas del romanticismo del siglo XIX.

Cienfuegos realiza una conversión de la imagen. Crea un territorio para disfrutar, no del mundo sensible (posible) si-no del imposible, del imaginario o fantástico, permitiendo al espectador (a través en su discurso visual) transitar por las obras impregnándose del gesto revolucionario de los románticos y que Addison definió en su ensayo *los placeres de la imaginación*".[3]

Las ideas acogidas en ese ensayo vendrán a desterrar al pensamiento estético gravitante de Descartes (1596-1650), quien consideraba que el *ser* estaba compuesto de dos esferas: La superior en donde domina el entendimiento, que atesora la razón. Y la inferior, en donde habitan las pasiones que ocasionan los sentidos.

En ese contexto, al arte se le daba crédito solo gracias a su capacidad de persuasión, al crear belleza (mimesis). Pero Addison cambiará el mapa mental de la llamada *edad de la razón* y la modificará sustancialmente, al afirmar que la imaginación -entendida hasta ese momento como un mero divertimento intelectual- tiene un valor cognoscitivo, situándola en igualdad de condiciones que el acto de filosofar, como medio para indagar sobre la "verdad".

[3] *Con este título Joseph Addison (1672-1719) publicó en 1712, una serie de artículos en The Spectator, transformándose en forma inmediata en un referente para las reflexiones estéticas del S. XVIII.*

In order to share this definition it is necessary to appreciate (even in a selection of his drawings) that this artist has constructed his graphic (and pictorial) work, always starting from an appealing reality to which he answers from the depth of his cultural knowledge, in a tense process of internalization.
He approaches the "cultural" being (or object) to "know him" and offer him to the spectator not as "information" but as pleasure for the imagination, in the way the artists of romanticism did during the XIX century.

Cienfuegos performs a conversion of the image. He creates a territory to enjoy, not the sensitive (possible) world but the impossible, the imaginary or fantastic, allowing the spectator (through this visual discourse) to pass though his works impregnating himself with the revolutionary style of the romantics and which Addison defined in his essay "the pleasures of the imagination".[3]

The ideas presented in this essay dismiss the esthetic perspective of Descartes (1596-1650), who believed that the being is composed of two spheres: the superior sphere where understanding dominates and where reason is found, and the inferior sphere which is home to the passions that cause the senses.

In this context, art was only given credit for it persuasive capacity, by creating beauty (mimesis). Addison changed the mental map of the era of reason and modified it substantially by affirming that the imagination – which until that point was considered merely a form of intellectual entertainment- has cognitive value, such as the act of philosophizing, and can function as a medium to investigate "the truth".

[3] *With this title Joseph Addison (1672-1719) published in 1712, a series of articles in The Spectator, instantly becoming one of the specialists on esthetic reflections of the XVIII century.*

Para compartilhar esta definição é necessário apreciar (inclusive em uma seleção de seus desenhos) que este artista construiu a sua obra gráfica (e pictórica) partindo sempre de uma realidade que o apela, e à qual responde a partir da densidade de uma bagagem "cultural", distendida pela sua internalização. Ou melhor, vai ao ser (ou objeto) "cultural", para "conhecê-lo" e oferecê-lo ao espectador, não como "informação", mas sim como prazer para a imaginação, tal como o procuraram os artistas do romantismo do século XIX.

Cienfuegos realiza uma conversão da imagem. Cria um território para usufruir, não do mundo sensível (possível), mas sim do impossível, do imaginário ou fantástico, permitindo ao espectador (através do seu discurso visual) transitar pelas obras impregnando-se do gesto revolucionário dos românticos e que Addison definiu em seu ensaio como "os prazeres da imaginação".[3]

As idéias reunidas nesse ensaio virão a desterrar o pensamento estético gravitante de Descartes (1596-1650), o qual considerava que o ser estava composto de duas esferas: a superior onde domina o entendimento, que entesoura a razão. E a inferior, onde habitam as paixões que geram os sentidos.

Nesse contexto, a arte dava-lhe crédito apenas graças à sua capacidade de persuasão, ao criar beleza (mimese). No entanto, Addison mudará o mapa mental da chamada idade da razão e a modificará substancialmente ao afirmar que a imaginação - entendida até então como um mero divertimento intelectual - tem um valor cognoscitivo, situando-a em igualdade de condições que o ato de filosofar, como meio para indagar sobre a "verdade".

[3] *Com este titulo, Joseph Addison (1672-1719) publicou em 1712 uma série de artigos em The Spectator, transformando-se imediatamente em um referente para as reflexões estéticas do séc. XVIII.*

Desde nuestra perspectiva, Addison logra unificar imaginación y entendimiento, y con ello abre el camino a aceptar una verdad suprarracional, que la imaginación permite acceder, vía revelación.

Tonia Raquejo, se adentra en este momento desequilibrante para la práctica del arte, en un texto que titula *imitar lo imaginable, perseguir lo inimaginable.*[4] Allí, bien podemos entender que estas nuevas ideas son en definitiva el cambio de la mirada exterior, a la interior. El instante radical donde la humanidad se libera del destino y se adentra en el si-mismo.

Es vital recordar que para los Románticos del s. XIX, la naturaleza fue una importante fuente de inspiración, pero nunca de imitación. Lo que verdaderamente valoraron fue la capacidad de transformar lo observado, por lo que a nadie sorprende saber hoy que algunas de las obras más destacadas de la época, fueron *los paisajes interiores* de Turner. Este magnífico pintor no imitaba las cosas. Se esforzó en capturar los efectos que estas provocan en nuestra mente -con tal perfección- que es posible afirmar que en sus obras, las figuras del pensamiento y la dicción, encuentran su equivalente en la imagen.

Provocar un conflicto de realidades en los cuales "cultura" y "exploración de conocimiento" entren en fértiles desequilibrios, es el juego que hacían los románticos al potenciar *lo verosímil* frente a *lo real*, constante no solo de las artes visuales de la época, sino también de la célebre novela gótica, entre la que destacamoś *Frankenstein* de Mary Shelley (1797-1851).

Es evidente que la obra gráfica de Cienfuegos se legitima al interior de esta interpretación estética: Construye sobre Imágenes que tienen a la realidad solo como referente.

[4] *Aquejo Tonia (Ed.) Los placeres de la imaginación y otros ensayos, Ed. Visor. Colección La balsa de la Medusa Madrid 1991.*

From our perspective, Addison is able to unite imagination and understanding, allowing the acceptance of a super rational reality, which the imagination is able to access through revelation.

Tonia Raquejo, describes this moment of unbalance for the practice of art, in a text titled "imitating the manageable, pursuing the unimaginable".[4] In this text we can see that these new ideas represent the change in the exterior vision. The radical moment in which humanity frees itself from destiny and penetrates its own self.

It is vital to remember that for the Romanticists of the XIX century nature was an important source of inspiration, but never of imitation. What they truly valued was the capacity to transform the observed, which doesn't make it surprising that some of the most well-known works of this period were Turner's interior landscapes. This magnificent painter did not imitate thingsbut forced himself to capture the effects that these cause in our minds- with such perfection- that is possible to affirm that in his works the figures of knowledge and diction find their equivalent in the image.

Causing a conflict of realities in which "culture" and "the exploration of knowledge" are unbalanced, is the game played by the romanticists who confront the credible with the real, a style that is not only characteristic of the visual arts of the time period but of the gothic novel such as Mary Selley's (1797-1851) Frankenstein.

It is evident that the graphic work of Cienfuegos legitimates itself within this esthetic interpretation: It is constructed on images that only use reality as a reference.

[4] *Aquejo Tonia (Ed.) The pleasures of the imagination and other essays, Ed. Visor. Colección La balsa de la Medusa Madrid 1991.*

A partir da nossa perspectiva, Addison consegue unificar imaginação e entendimento, e com isso abre o caminho para aceitar uma verdade supra-racional, que a imaginação permite acessar, via revelação.

Tonia Raquejo adentra-se neste momento de desequilíbrio para a prática da arte, em um texto que intitula *imitar o imaginável, perseguir o imaginável*.[4] Ali, podemos entender bem que estas novas idéias são definitivamente a mudança do olhar exterior, para o interior. O instante radical onde a humanidade se livra do destino e se adentra em si mesmo.

É vital recordar que, para os Românticos do séc. XIX, a natureza foi uma importante fonte de inspiração, porém nunca de imitação. O que verdadeiramente valorizaram foi a capacidade de transformar o observado, em virtude do que não surpreende a ninguém saber hoje que algumas das obras mais destacadas da época foram as paisagens interiores de Turner. Este magnifico pintor não imitava as coisas. Esforçou-se em capturar os efeitos que estas provocam em nossa mente - com tal perfeição - que é possível afirmar que nas suas obras, as figuras do pensamento e a dicção encontram o seu equivalente na imagem.

Provocar um conflito de realidades nas quais "cultura" e "exploração de conhecimento" entrem em férteis desequilíbrios, é o jogo que faziam os românticos ao potenciar o verossímil frente ao real, constante não só das artes visuais da época, como também da célebre novela gótica, entre a qual destacamos Frankenstein de Mary Shelley (1797-1851).

É evidente que a obra gráfica de Cienfuegos legitima-se no interior desta interpretação estética: Constrói sobre Imagens que têm a realidade apenas como referente.

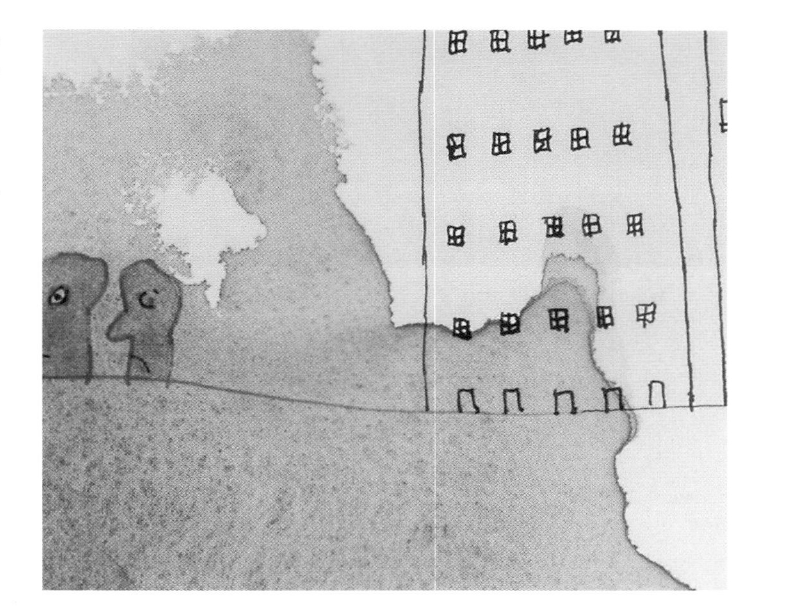

4 *Aquejo Tonia (Ed.) Os plazeres da imaginação e outros ensaios. Ed. Visor. Coleção La balsa de la Medusa Madrid 1991.*

Desde el punto de vista de la plástica, siempre están -más que dibujadas- abocetadas mediante el pigmento o la tinta, y en ellas, su posición respecto al objeto es lejana, lo que le permite visualizar las cosas por sus estructuras y no por sus detalles, al mismo tiempo que poseen el poder de mostrar una amplitud de campo monumental. En ellas, la simpleza de los gestos y situaciones "narradas", contrasta con el sentimiento que provocan al evidenciar la exploración en el territorio de lo sublime, en tanto que son umbrales para revelaciones interiores.

La originalidad del *proyecto artístico* de Cienfuegos, se funda, además, sobre la reflexión en torno al lenguaje, a la relación con la tradición, y a la expresión vía la *ironía*. Ese distanciamiento del real hacia lo probable (que lo emparenta con los románticos), le exige detenerse para mirar, tomar conciencia del ser, del deber ser y de la imposibilidad de cumplir con ello en una sociedad magistralmente adaptada a las apariencias.

La *ironía* no es la comicidad, ni la mofa. Es un territorio de desencubrimiento: devela lo que no debería ser. Permite contemplar la secuencia de procesos que han conducido a resultados, sin excluirnos de ellos, sino al contrario, siendo extremadamente lúcida en contemplar el papel que en ellos hemos jugado.

La *ironía*, como lo desarrolla Valeriano Bozal,[5] no mira para otro lado. No se concibe como experiencia distinta, alejada de aquello que ironiza. Conserva a *lo otro* como objeto de su mirada. Desnuda la figura y muestra, no lo que aparenta ser, sino lo que pretende ser. Saca a la luz el simulacro y aquello sobre lo cual el simulacro se ha ejercido. Percibe el absurdo. Diferencia el precio, del valor.

[5] *Bozal, Valeriano, Necesidad de la ironía, Visor, Madrid 1999.*

From the point of view of his plastic works, they are always sketched with pigment or ink, and in them the position in relation to the object is distant, which allows the visualization of things based on their structure rather than their details, while showing monumental amplitude. In these works, the simplicity of the gestures and "narrated" situations, contrast with the feeling caused by witnessing the exploration of the territory of the sublime, and give way to interior revelations.

The originality of the artistic project of Cienfuegos, is also founded on the reflection surrounding language, the relationship with tradition and expression through irony. This distance between the real ad probable (which he shares with the romanticists) forces him to stop and observe, to consider the being, the expectations and the impossibility of fulfilling a society adapted to appearances.

The irony is not comedic, or mockery. It is a territory for discovery: it unveils that which shouldn't be. It allows us to contemplate the sequence of processes that have lead to results without excluding us from them; on the contrary, by being extremely lucid in considering the role we have played in them.

The concept of irony as it is developed by Valerio Bozal,[5] does not look the other way. It is not perceived as a distant experience far removed from he who makes the irony. It considers the other as the object of observation. It uncovers the figure and does not show what it appears to be but rather what it attempts to be. He exposes that which imitation is based on. He perceives the absurd. Differentiates the price from the value.

[5] *Bozal, Valeriano. Necessity of Irony, Visor, Madrid 1999.*

Do ponto de vista da plástica, sempre estão - mais que desenhadas- esboçadas mediante o pigmento ou a tinta, e nelas, a sua posição a respeito do objeto é distante, o que lhe permite visualizar as coisas por suas estruturas e não por seus detalhes, ao mesmo tempo em que possuem o poder de mostrar uma amplitude de campo monumental. Nelas, a rusticidade dos gestos e situações "narradas", contrasta com o sentimento que provocam ao evidenciar a exploração no território do sublime, enquanto que são limiares para revelações interiores.

A originalidade do projeto artístico de Cienfuegos, baseia-se, outrossim, na reflexão em torno da linguagem, na relação com a tradição e na expressão por meio da ironia. Esse distanciamento do real para o provável (que o assemelha aos românticos), exige que se detenha para olhar, conscientizar-se do ser, do dever ser e da impossibilidade de cumprir isso em uma sociedade magistralmente adaptada às aparências.

A ironia não é a comicidade, nem a zombaria. É um território de desencobrimento: revela o que não deveria ser. Permite contemplar a seqüência de processos que levaram a resultados, sem excluir-nos deles, mas sim ao contrário, sendo extremamente lúcida em contemplar o papel que neles desempenhamos.

A ironia, conforme expõe Valeriano Bozal,[5] não olha para outro lado. Não se concebe como experiência distinta, distanciada daquele que ironiza. Conserva o outro como objeto do seu olhar. Desnuda a figura e mostra, não o que aparenta ser, mas sim o que pretende ser. Traz à luz o simulacro e aquilo sobre o qual o simulacro foi exercido. Percebe o absurdo. Diferencia o preço, do valor.

[5] *Valeriano, Necessidade da ironia, Visor, Madrid 1999.*

Es pertinente recordar que fue el filósofo Federico Schlegel (1772-1820) quien rompió con la tradición meramente retórica de la *ironía*, adquiriendo en su comprensión "toda la efectividad de un instrumento estético, que se configura como actitud y experiencia, más que como programa"[6]

La *ironía* se hace palpable en obras que abrieron el camino a la modernidad, como son algunos los escritos de Diderot (1713-1784), pinturas de Goya (1746-1828) y los ensayos de Baudelaire (1821-1867) sobre la risa.

Es categórico, pero podemos afirmar que "la lucidez" es el rasgo central de la *ironía*, creando un marco, como el conjunto de dibujos que aquí se han seleccionado, todos impregnados de lo mejor que el romanticismo y luego la post-modernidad poseen: su vocación por hacernos dudar.

Pedro Celedón
Doctor en Historia del Arte Contemporáneo. Universidad Complutense de Madrid, España.
Desde 2001 al 2007 se desempeñó como Director de la Escuela de Arte, de la
Pontificia Universidad Católica de Chile.
Ha trabajado como docente e investigador en Madrid, Toulousse, Paris y Santiago,
participando, además, en montajes de espectáculos teatrales del grupo nacional ICTUS,
del español Gusarapos y de los franceses Théâtre du Soleil , CIAP y Royal de Luxe.
Publicaciones en revistas y textos en Argentina, España, Francia y Chile.

[6] *D'Angelo, Paolo La estética del romanticismo, Ed. Visor, Madrid 1999, Pág. 126 124.*

It is relevant to remember that it was the philosopher Federico Schleges (1772-1820) who broke away from the merely rhetorical tradition of irony acquiring in its understanding "all the affectivity of an esthetic instrument which is configured as attitude and experience, rather than as a program."[6]

The irony becomes palpable in works which have opened the path to modernity such as the writings of Diderot (1713-1784), the paintings by Goya (1746-1823) and the essays by Baudelaire (1821-1867) on laughter.

It is categorical but we can affirm that "lucidity" is the main characteristic of irony, creating a frame, like the ensemble of drawings which have been selected, all of which are impregnated with the best of romanticism and later of post modernity and possess the capacity of making us doubt.

Pedro Celedón
Doctor in History of Contemporary Art, University Complutense of Madrid, Spain.
Director of the School of Art at Pontificia Católica University of Chile from 2001 to 2007.
He has worked as a professor and researcher in Madrid, Toulouse, Paris and Santiago and has also participated in the mounting of theatre productions by the national group ICTUS, the Spanish group Gusarapos and the French groups Théâtre du Soleil, CIAP and Royal de Luxe.

[6] *D´Angelo, Paolo The esthetic of romanticism, Ed. Visor, Madrid 1999, p. 126 124.*

É pertinente recordar que foi o filósofo Federico Schlegel (1772-1820) quem quebrou a tradição meramente retórica da ironia, adquirindo na sua compreensão "toda a efetividade de um instrumento estético, que se configura como atitude e experiência, mais que como programa".[6]

A ironia se torna palpável em obras que abriram o caminho para a modernidade, como são alguns dos escritos de Diderot (1713-1784), das pinturas de Goya (1746-1828) e dos ensaios de Baudelaire (1821-1867) sobre o riso.

É categórico, porém podemos afirmar que "a lucidez" é a característica central da ironia, criando um marco, como o conjunto de desenhos que aqui foi selecionado, todos impregnados do melhor que o romantismo e, em seguida, a pós-modernidade, possuem: a sua vocação por fazer-nos duvidar.

Pedro Celedón
Doutor em História da Arte Contemporânea. Universidad Complutense de Madrid, Espanha.
De 2001 a 2007 atuou como Diretor da Escola de Arte, da Pontificia Universidad Católica de Chile.
Trabalhou como docente e pesquisador em Madrid, Toulousse, Paris e Santiago, participando, outrossim, em montagens de espetáculos teatrais do grupo nacional ICTUS, do espanhol Gusarapos e dos franceses Théâtre du Soleil, CIAP e Royal de Luxe.
Publicações em revistas e textos na Argentina, Espanha, França e Chile.

[6] *D´Angelo, Paolo A estética do romanticismo, Ed. Visor, Madrid 1999. Pág. 126 124.*

De Eso ni Hablar
Acuarela y tinta sobre papel
28 x 37 cms.

Nem fale Nisso
Aquarela e tinta sobre papel
28 x 37 cms.

Don’t even talk about that
Watercolor and ink on paper
28 x 37 cms.

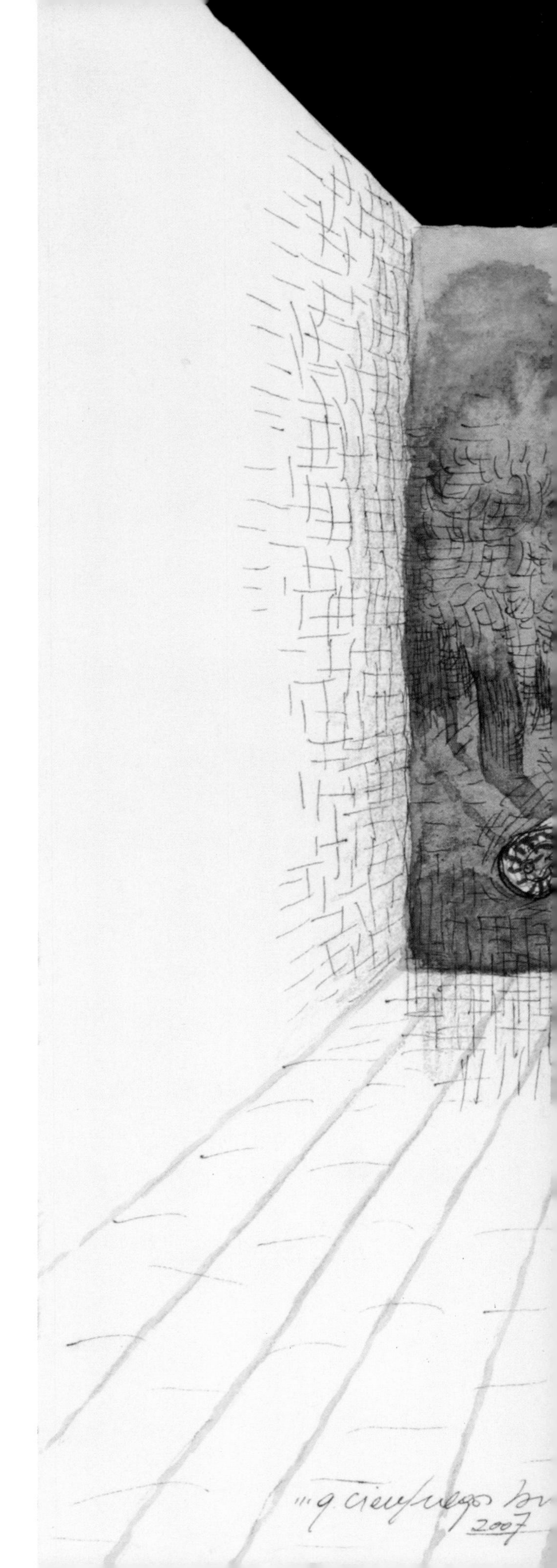

Una Falsificación Formal
Acuarela y tinta sobre papel
37 x 28 cms.

Uma Falsificação Formal
Aquarela e tinta sobre papel
37 x 28 cms.

A Formal Falsification
Watercolor and ink on paper
37 x 28 cm.

Desayuno Campestre
Acuarela y tinta sobre papel
28 x 37 cms.

Café da Manhã no Campo
Aquarela e tinta sobre papel
28 x 37 cms.

Country Breakfast
Watercolor and ink on paper
28 x 37 cms.

Acercándose a la Verdad
Acuarela y tinta sobre papel
28 x 37 cms.

Chegando Perto da Verdade
Aquarela e tinta sobre papel
28 x 37 cms.

Getting closer to the Truth
Watercolor and ink on paper
28 x 37 cms.

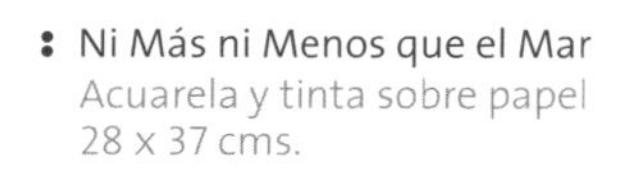

Ni Más ni Menos que el Mar
Acuarela y tinta sobre papel
28 x 37 cms.

Nem Mais Nem Menos que o Mar
Aquarela e tinta sobre papel
28 x 37 cms.

No More and no Less than the Sea
Watercolor and ink on paper
28 x 37 cms.

Cuestión de Principios
Acuarela y tinta sobre papel
28 x 37 cms.

Questão de Princípios
Aquarela e tinta sobre papel
28 x 37 cms.

A matter of Principles
Watercolor and ink on paper
28 x 37 cms.

g. cienfuegos b.
2007

Casado Sin Hijos
Acuarela y tinta sobre papel
28 x 37 cms.

Casado Sem Filhos
Aquarela e tinta sobre papel
28 x 37 cms.

Married Without Children
Watercolor and ink on paper
28 x 37 cms.

Después del Desayuno
Lápiz grafito y lápiz de color sobre papel
34 x 52 cms.

Depois do Café da Manhã
Lápis e lápis de cor sobre papel
34 x 52 cms.

After Breakfast
Graphite pencil and colored pencil on paper.
34 x 52 cms.

2007

Sobreseído
Lápiz grafito y lápiz de color sobre papel
52 x 34 cms.

Dispensado
Lápis e lápis de cor sobre papel
52 x 34 cms.

Dismissed
Graphite pencil and colored pencil
52 x 34 cm.

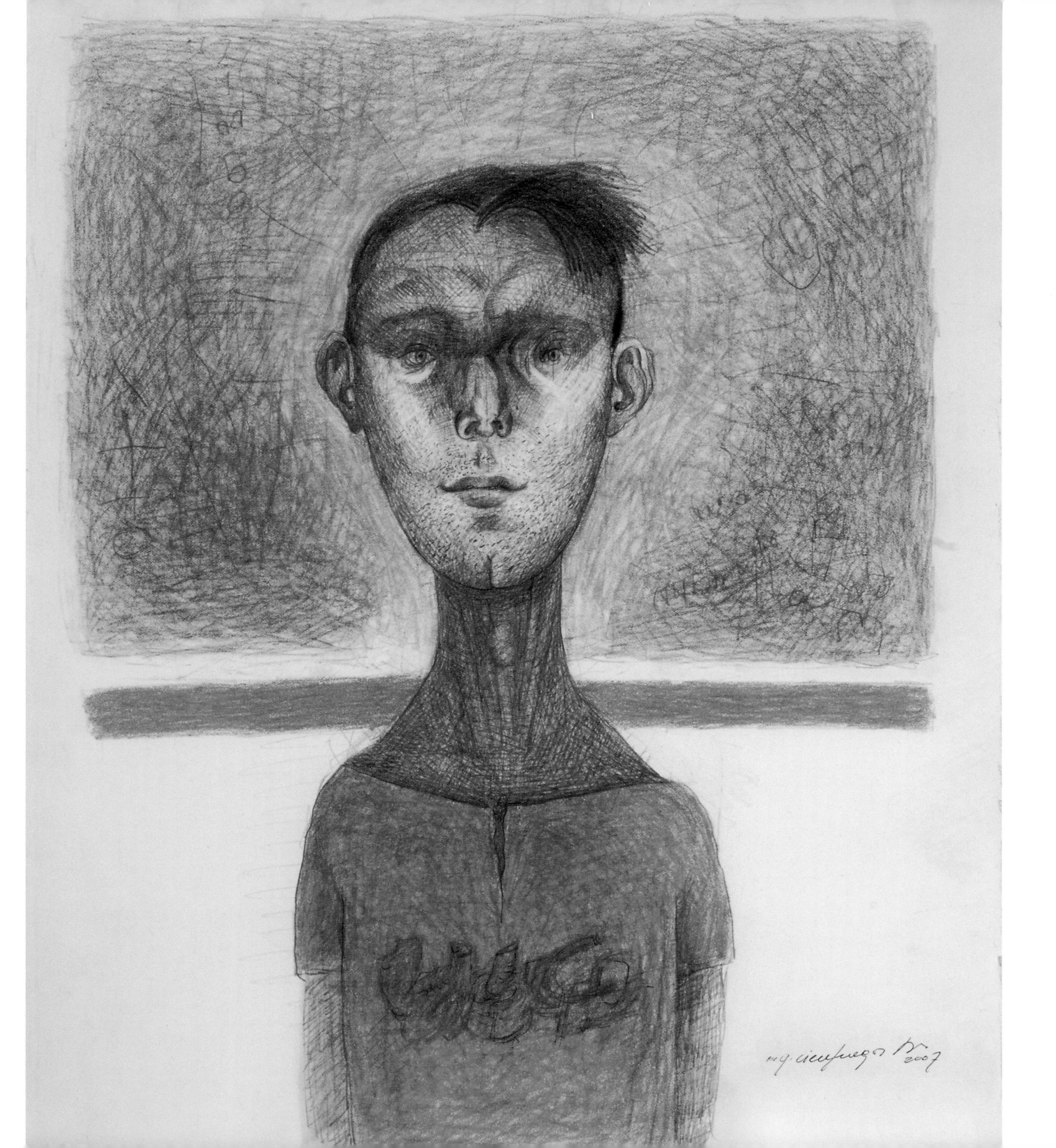
2007

Fijación Adolescente
Acuarela y tinta sobre papel
37 x 28 cms.

Fixação Adolescente
Aquarela e tinta sobre papel
37 x 28 cms.

Adolescent Fixation
Watercolor and ink on paper
37 x 28 cms.

No me Digan que No Sabías
Lápiz grafito y lápiz de color sobre papel
34 x 52 cms.

Não me Diga que Não Sabia
Lápis e lápis de cor sobre papel
34 x 52 cms.

Don't Tell me you Didn't Know
Graphite pencil and colored pencil on paper
34 x 52 cms.

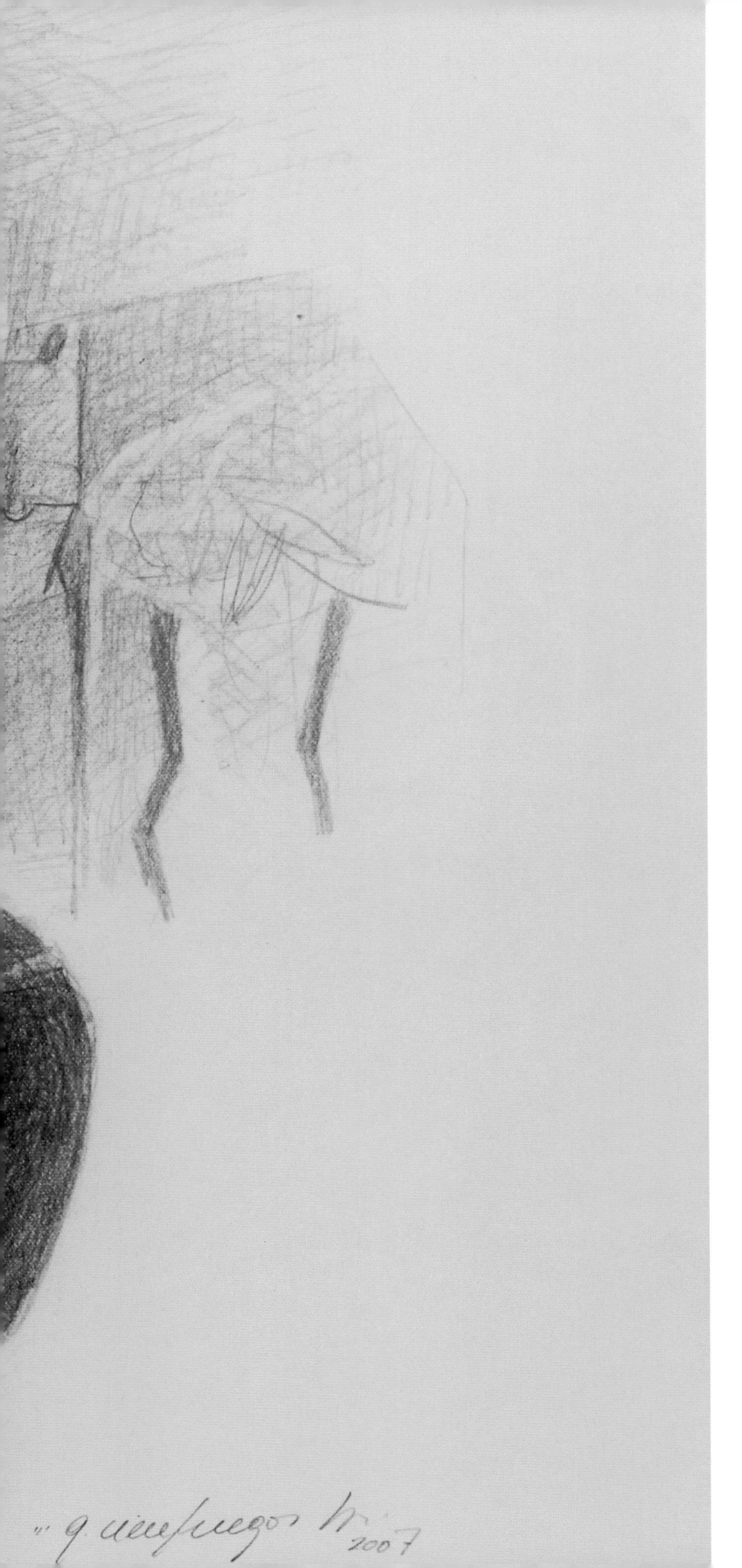

Eso No se Hace
Lápiz grafito y lápiz de color sobre papel
34 x 52 cms.

Isto Não se Faz
Lápis e lápis de cor sobre papel
34 x 52 cms.

You don’t do that
Graphite pencil and color pencil on paper
34 x 52 cms.

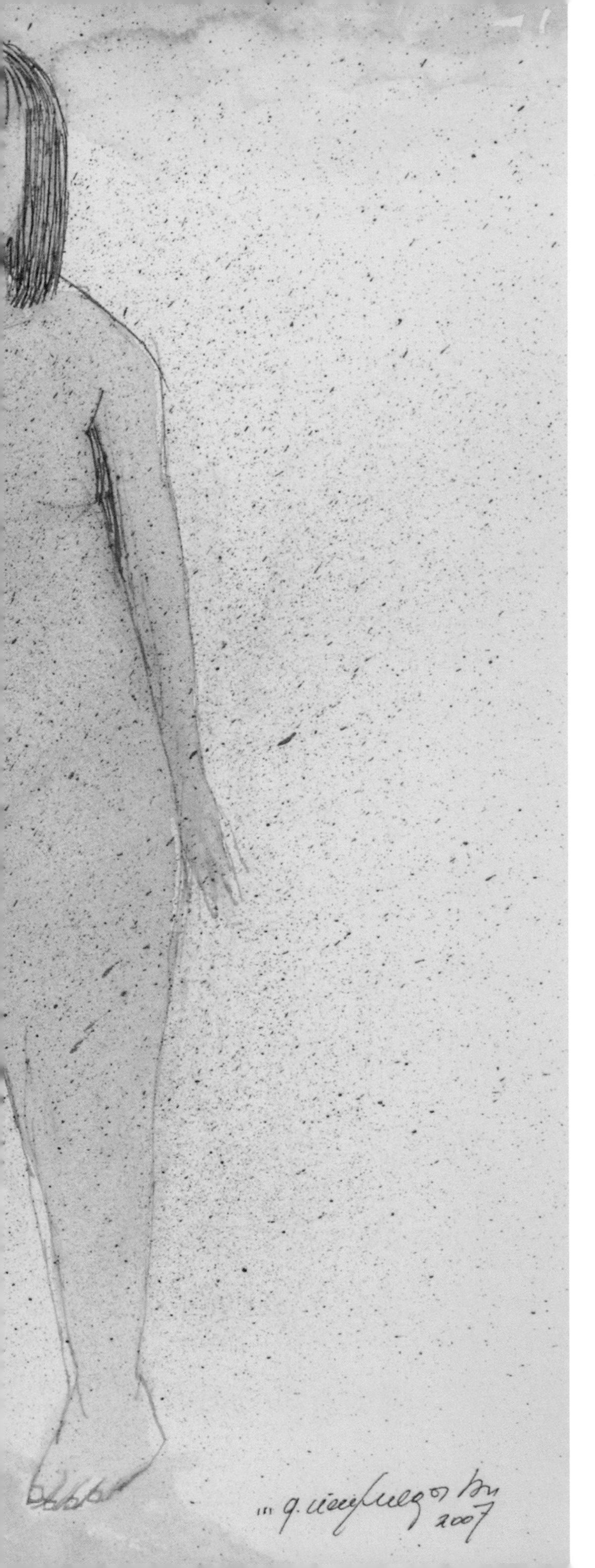

La Giganta
Acuarela y tinta sobre papel
28 x 37 cms.

A Giganta
Aquarela e tinta sobre papel
28 x 37 cms.

The Giant
Watercolor and ink on paper
28 x 37 cms.

Reconstitución de Escena
Acuarela y tinta sobre papel
28 x 37 cms.

Reconstituição de Cena
Aquarela e tinta sobre papel
28 x 37 cms.

Scene Reconstitution
Watercolor and ink on paper
28 x 37 cm.

g. cienfuegos
2007

Alfombra Mágica
Acuarela y tinta sobre papel
28 x 37 cms.

Tapete Mágico
Aquarela e tinta sobre papel
28 x 37 cms.

Magic Carpet
Watercolor and ink on paper
28 x 37 cm.

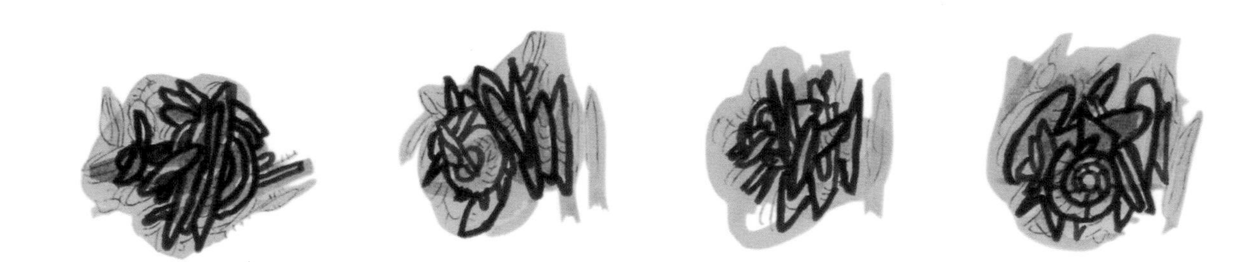

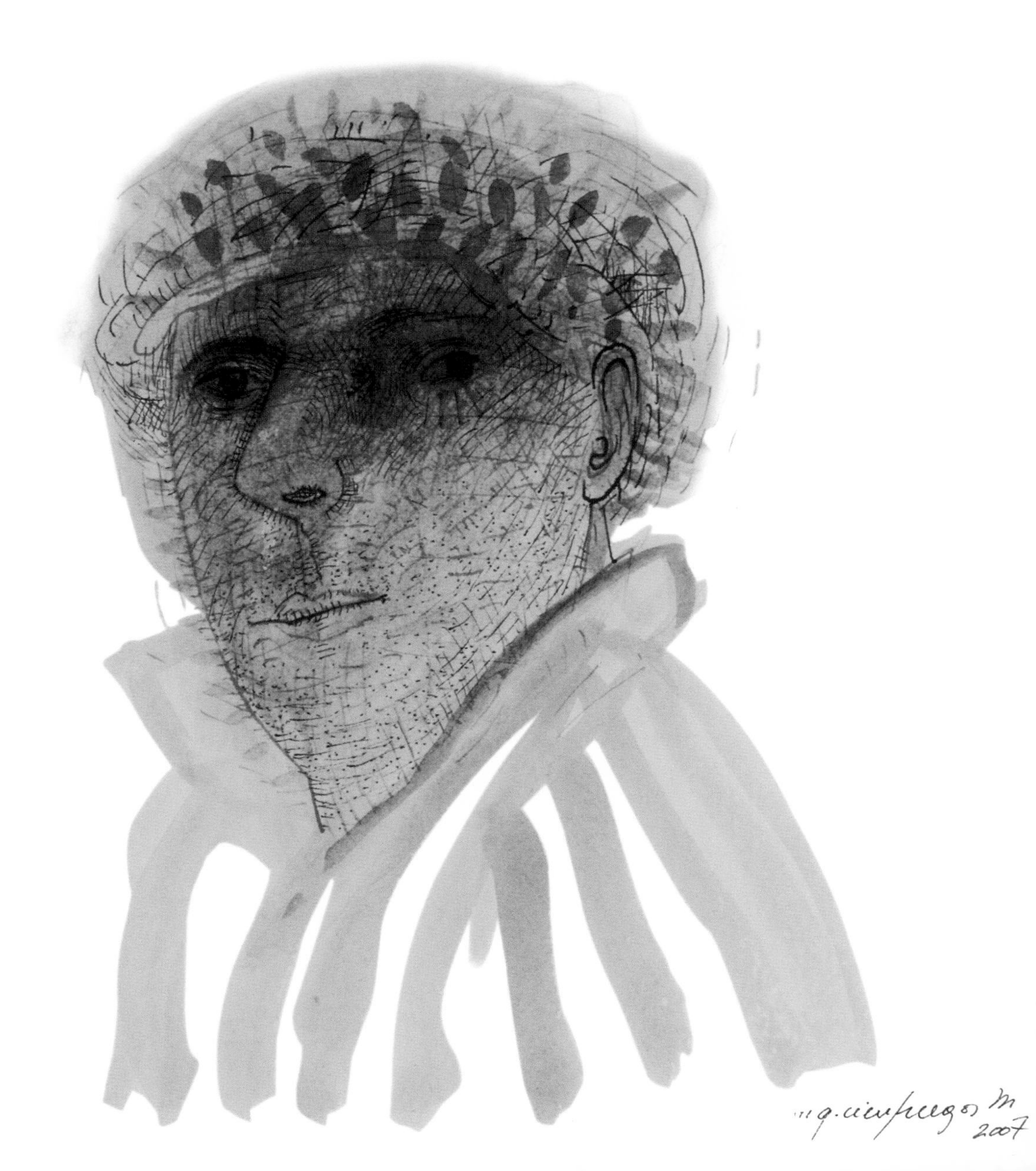

Retrato de un Desconocido
Acuarela y tinta sobre papel
37 x 28 cms.

Retrato de um Desconhecido
Aquarela e tinta sobre papel
37 x 28 cms.

Portrait of a Stranger
Watercolor and ink on paper
37 x 28 cm.

Cuento de Hadas
Acuarela y tinta sobre papel
28 x 37 cms.

Conto de Fadas
Aquarela e tinta sobre papel
28 x 37 cms.

Fairy Tale
Watercolor and ink on paper
28 x 37 cm

Juego de Niños
Acuarela y tinta sobre papel
37 x 28 cms.

Brincadeira de Crianças
Aquarela e tinta sobre papel
37 x 28 cms.

Children's Game
Watercolor and ink on paper
37 x 28 cm.

2007

La Tía Nana
Acuarela y tinta sobre papel
37 x 28 cms.

A Tía Nana
Aquarela e tinta sobre papel
37 x 28 cms.

Aunt Nana
Watercolor and ink on paper
37 x 28 cms.

¿Y Por Qué No?
Acuarela y tinta sobre papel
28 x 37 cms.

E por que não?
Aquarela e tinta sobre papel
28 x 37 cms.

And Why Not?
Ink and watercolor on paper
28 x 37 cms.

g. cienfuegos
2007

Entrada Triunfal
Acuarela y tinta sobre papel
28 x 37 cms.

Entrada Triunfal
Aquarela e tinta sobre papel
28 x 37 cms.

Triumphant Entry
Watercolor and ink on paper
28 x 37 cm.

los caballos de
peloponeso

Buscando el Peloponeso
Acuarela y tinta sobre papel
28 x 37 cms.

Procurando o Peloponeso
Aquarela e tinta sobre papel
28 x 37 cms.

Searching for the Peloponnesian
Watercolor and ink on paper
28 x 37 cm.

Silencio Animal
Acuarela y tinta sobre papel
28 x 37 cms.

Silêncio Animal
Aquarela e tinta sobre papel
28 x 37 cms.

Animal Silence
Watercolor and ink on paper
28 x 37 cm.

Amores Tardíos
Acuarela y tinta sobre papel
28 x 37 cms.

Amores Tardios
Aquarela e tinta sobre papel
28 x 37 cms.

Belated Love
Watercolor and ink on paper
28 x 37 cms.

Camas de Piedra
Acuarela y tinta sobre papel
28 x 37 cms.

Camas de Pedra
Aquarela e tinta sobre papel
28 x 37 cms.

Beds of Stone
Watercolor and ink on paper
28 x 37 cms.

óleos

óleos

oil

Invención
Gonzalo Cienfuegos

En esta exposición de pinturas de Gonzalo Cienfuegos, el espectador entrará en una nueva estética del retrato, de la pose, del espacio y, sobre todo, de la mirada de los retratados como tema central. El artista parece realizar un distanciamiento respecto de sus anteriores metodologías y obsesiones, sobre todo de acuerdo al entendido del cuadro como escenario del teatro de la pintura. Ya no hay cortinajes que se abren, ni multitudes que quedan al descubierto una vez que se despliega el cuadro como ficción. En esta muestra, el artista presenta obras muy precisas, donde el retrato imaginario como problema va acompañado de la invención de un personaje que nos enfrenta desafiante pero, al mismo tiempo, hermetizado por los blindajes de la ficción pictórica.

En una suerte de confrontación, dos formas de pintura, dos estrategias, son las que plantea el artista. En primer lugar, el gesto y la materia, desde las cuales desenmascara a sus personajes imaginarios volviéndolos tangibles, permeables a nuestra mirada. Es el caso de "Fibonacho N°2", donde el artista, desde un rojo monocromático saturado, plantea la dispersión de la cabeza del personaje, acentuando ciertos contornos como dos círculos pequeños que citan los ojos, los bordes del cuello y otras pequeñas zonas con línea color. Estos trazos parecen intentar contener a un rostro que se fuga y que está a punto de desaparecer. En este cuadro, el artista llega a un punto máximo de desintegración de la arquitectura de la cara para privilegiar el gesto y la materia pictórica, afirmando la importancia de los significantes. Mientras, en la zona superior del cuadro, se deja entrever un texto que, ilegible, pareciera señalar la zona del olvido, de la no-memoria o, tal vez, de aquello que se quiere ocultar. En otras palabras, este cuadro revela la obsesión de Cienfuegos por el color que hace prácticamente desaparecer lo icónico.

"Invention"
Gonzalo Cienfuegos

In this exhibition of paintings by Gonzalo Cienfuegos, the spectator will enter into a new esthetic of the portrait, of the pose, of space, and above all of the vision of portraits as a central theme. The artist appears to distance himself from his earlier methodologies and obsessions, especially from the idea of the picture as a theatre stage for painting. There are no longer curtains that open, or crowds that are left to watch as the painting unfolds as fiction. In this exhibition, the artist presents very precise pieces where the idea of the imaginary portrait as a problem is accompanied by the invention of a character, which is presented as challenging and impenetrable due to the bindings of pictorial fiction.

In a type of confrontation, two forms of painting, two strategies are presented by the artist. In the first place the gesture and material from which he unmasks his imaginary characters, making them tangible and permeable to our vision. This is the case for "Fibonacho N°2", where the artist using a saturated monochromatic red, shows the dispersion of the head of the character, highlighting certain outlines such as two small circles which summon the eyes, the borders of the neck and other small areas with lines in color. These lines seem to attempt to outline a face which is escaping and about to disappear. In this painting, the artist reaches a maximum point of disintegration with the architecture of the face in order to focus on the gesture and the pictorial material, affirming the importance of the signifiers. Meanwhile, in the superior area of the painting, there is an illegible text which seems to indicate the area of oblivion, of lack of memory, of that which is to be hidden. In other words, this painting reveals Cienfuego's obsession for the color which practically makes the iconic presence disappear.

“Invenção”
Gonzalo Cienfuegos

Nesta exposição de pinturas de Gonzalo Cienfuegos, o espectador entrará em uma nova estética do retrato, da pose, do espaço e, sobretudo, do olhar dos retratados como tema central. O artista parece realizar um distanciamento acerca de suas anteriores metodologias e obsessões, sobretudo de acordo ao entendimento do quadro como cenário do teatro da pintura. Já não existem cortinas que se abrem, nem multidões que ficam ao descoberto uma vez que se desdobra o quadro como ficção. Nesta mostra, o artista apresenta obras muito precisas, onde o retrato imaginário como problema vem acompanhado da invenção de uma personagem que nos encara desafiante, mas, ao mesmo tempo, protegido pelas blindagens da ficção pictórica.

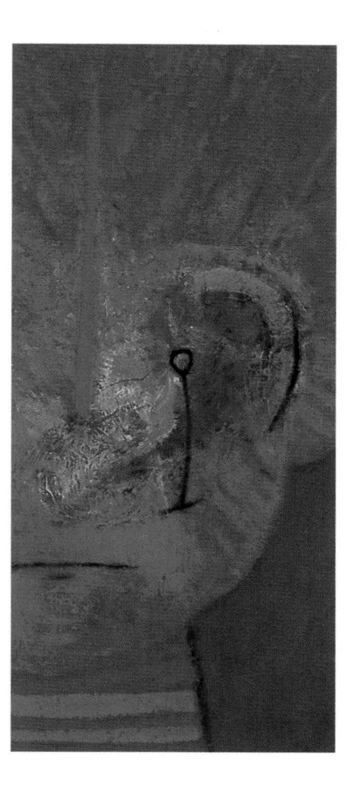

Em uma série de confrontação, duas formas de pintura, duas estratégias, são as expostas pelo artista. Em primeiro lugar, o gesto e a matéria, desde as quais desmascara seus personagens imaginários tornando-os tangíveis, permeáveis a nosso olhar. É o caso de “Fibonacho N°2”, onde o artista, a partir de um vermelho monocromático saturado, expõe a dispersão da cabeça da personagem, acentuando certos contornos como dois círculos pequenos que citam os olhos, as bordas do pescoço e outras pequenas zonas com linha cor. Estes traços parecem tentar conter um rosto que foge e está a ponto de desaparecer. Neste quadro, o artista chega a um ponto máximo de desintegração da arquitetura da face para privilegiar o gesto e a matéria pictórica, afirmando a importância dos significantes. Enquanto isso, na zona superior do quadro, se deixa entrever um texto que, ilegível, parece estipular a zona do esquecimento, da não-memória ou, talvez, daquilo que se quer ocultar. Em outras palavras, este quadro revela a obsessão de Cienfuegos pela cor que faz praticamente desaparecer o icônico.

En otro cuadro, cuya espacialidad cromática está constituida por el cruce de dos citas plásticas correspondientes a J. Albers y M. Rothko, podemos apreciar, en su eje de simetría, a un personaje que posa con los brazos cruzados, mirándonos fijamente mientras su pelo va violentamente hacia la derecha movido por un viento que, tal vez, pretende darle al retratado una situación vívida. Este retrato excepcional, marca una clara diferencia con los otros cuadros que ya veremos. Es un rostro sin máscara, que muestra una pintura descarnada, cuyo gesto facial desafiante es resaltado por un violento encuadre rojo.

Otra estrategia pictórica planteada es la que Cienfuegos emplea en retratos en los cuales insiste, una vez más, en el enmascaramiento, es decir, en el maquillaje en exceso de rostros hieráticos, inexpresivos que se esconden detrás del modelado. Una pincelada que, por consiguiente, oculta la materia y cuya estructura elimina, como en el neoclasicismo, la ruta del gesto.

Dos cuadros destacaríamos en este breve análisis, los cuales tienen en común la presencia del fez en sus cabezas. En la obra "After Petrus Christus" el personaje parece ir hundiéndose, cediendo protagonismo pictórico al muro del fondo que marca el espacio. La retratada es pintada rigurosamente, casi citando a Ingres, con su cuello esbelto y sus hombros cubiertos con armiño. Podríamos hablar de un retrato que define la contención, donde la mirada no mira, sino que más bien, marca la distancia entre ese rostro y el espectador.

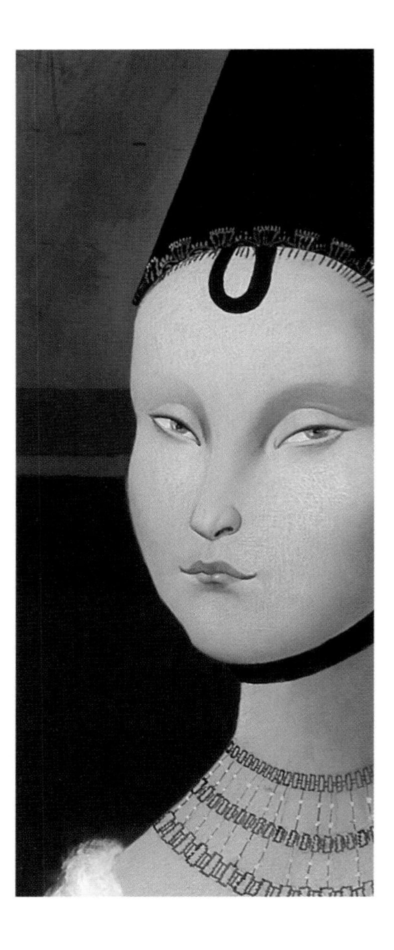

In another painting, the chromatic spaciousness is constituted by the cross of two plastic quotation corresponding to J. Albers and M. Rothko, we can appreciate its axes of symmetry, a character posing with arms crossed, looking at us while his hair goes violently to the right moved by a wind, which possibly intends to give the portrait a vivid situation. This exceptional portrait marks a clear difference from the other paintings which we will see. It is a face without a mask, which shows a revealing painting, where the daring facial expression is emphasized by a violent red frame.

Another pictorial strategy used by Cienfuegos can be seen in the portraits in which he insists, once again, in the masking, in the excessive make up of hieratical faces, in their lack of expression which hides behind a figure. A stroke which consequently hides the material and which similarly to the neoclassic style, eliminates the action of the gesture.

Two very important paintings will be highlighted in this brief analysis, which share the presence of a fez on the heads of the figures portrayed. In the piece "After Petrus Christus" the figure appears to be sinking, losing its pictorial protagonism to the wall in the background which marks the space. The figure portrayed is rigorously painted, almost citing Ingres, with her slender neck and shoulders covered in ermine. We could talk about a portrait that defines self control, where the look doesn't seem to bee seeing, and instead marks the distance between the face and the spectator.

Em outro quadro, cuja espacialidade cromática é constituída pelo cruzamento de duas citações plásticas correspondentes a J. Albers e M. Rothko, podemos apreciar, em seu eixo de simetria, uma personagem que posa com os braços cruzados, observando-os fixamente enquanto seu cabelo vai violentamente até a direita movido por um vento que, talvez, pretende dar ao retratado uma situação vívida. Este retrato excepcional marca uma clara diferença dos outros quadros que já veremos. É um rosto sem máscara, que mostra uma pintura descarnada, cujo gesto facial desafiante é ressaltado por um violento enquadramento vermelho.

Outra estratégia pictórica desejada é a que Cienfuegos emprega em retratos nos quais insiste, uma vez mais, no mascaramento, isto é, na maquiagem em excesso de rostos hieráticos, inexpressivos que se escondem atrás do modelado. Uma pincelada que, por conseqüência, oculta a materia e cuja estrutura elimina, como no neoclassicismo, a direcão do gesto.

Destacaríamos dois quadros nesta breve análise, os quais têm em comum a presença da fez em suas cabeças. Na obra "After Petrus Christus o personagem parece ir fundindo-se, cedendo protagonismo pictórico ao muro do fundo que marca o espaço. A retratada é pintada rigorosamente, quase citando Ingres, com seu pescoço esbelto e seus ombros cobertos com arminho. Poderíamos falar de um retrato que define a contenção, onde o olhar não vê, mas que, melhor, marca a distância entre esse rosto e o espectador.

El otro retrato -de cuerpo entero-, "Retrato de una Dama", nos muestra dos realidades pictóricas importantes o, mejor dicho, el contrapunto de dos ficciones. La retratada, realizada a modo de una pintura oficial, plantea con su pose la situación de un cuerpo que está frente a un pintor de la corte que, acompañada de un pequeño perro buldog, es presentada por el artista con sus mejores ropajes. Pero, que curioso, ¿Qué hay detrás de esta mujer?, efectivamente hay otro cuadro, monocromático, de grises verdosos, de siluetas tenues y evanescentes. El artista pareciera sugerir en su pintura el teatro de las sombras, en el cual se destacan solamente perfiles y siluetas que generan todo un mundo de sospechas e intenciones de sigilosos movimientos. Tal vez, la presencia del inconsciente y de un "mundo otro" ligadas al desenmascaramiento del ser, es lo que comparece siempre detrás del retrato.

Otra es la mirada que se despliega en sus grabados, ya que Cienfuegos propone una libertad manifiesta, que surge como una prolongación de sus croqueras, de sus dibujos y bocetos. Ahí están las multitudes, el paisaje urbano con sus rascacielos y el comportamiento caótico de sus personajes en la cuidad. Así, el vestuario, el desnudo, los árboles y cientos de pequeños detalles que, realizados mediante la línea y el color, van creando escenas e historias que la imaginación del artista nos va construyendo para que nuestros ojos contemplen esas narrativas y así poder entrar en la ficción del arte como realidad.

Gaspar Galaz

Licenciado en escultura. Profesor titular de Escultura y teoría e historia del Arte en el instituto de Estética y Escuela de Arte la Pontificia Universidad Católica de Chile. Docente del Magister en Artes de la misma Institución. Fue profesor de Historia del Arte en la Facultad de Artes de la universidad Finis Terrae entre los años 1990-1996.
Se ha desempeñado como curador en diversas exposiciones. Investigador en arte chileno, realizando varias publicaciones tanto de pintura, escultura u otras áreas de las artes visuales, entre éstas se destacan los libros "La Pintura en Chile, desde la colonia hasta 1981" y "Chile Arte Actual" en colaboración con Milan Ivelic.
Ha participando, además, en variados foros y congresos. Junto con lo anterior, ha realizado programas de televisión como "Derribando el muro I y II" en UCV televisión y "Arte en la cámara" de Cámara Diputados Televisión.
Ha expuesto en numerosas muestras individuales y colectivas en Chile y en el extranjero. Sus obras están en colecciones particulares y en la colección permanente del Museo Nacional de Bellas Artes de Chile.

lines and color, create scenes and stories the artist's imagination constructs in order for our eyes to contemplate these narratives and be able to enter the fiction of art as a reality.

Gaspar Galaz

Bachelor's degree in sculpture. Lecturer in sculpture and art history and theory at the Aesthetics Institute and Art School of the Pontifical Catholic University of Chile. On the Master's program faculty of the same university. Was professor of art history at the fine arts department of Finis Terrae University from 1990-1996.

He has worked as curator for a number of exhibits. A researcher of Chilean art, he has published several works on painting, sculpture, and other visual media. Among his works, the books "Painting in Chile from Colonial Times to 1981" and "Current Chilean Art" – written with Milan Ivelic – stand out.

In addition, he has taken part in numerous forums and congresses. He also produced television programs including "Tearing Down the Wall" I and II on UCV Television and "Art in the Chamber" on Chamber of Deputies Television.

He has been featured in various individual and collective expositions in Chile and abroad. His works are in private collections and in the permanent collection of the National Museum of Fine Arts in Chile.

•••• The other portrait-of the full body-, "Portrait of a Lady" show us two important pictorial realities, or in other words the counterpoint of two fictions. The figure portrayed in the style of an official painting, reflects with her pose a body which is in front of a painter of the court, accompanied by a small bulldog, has presented herself to the artist in her best dress. But how curious, what is behind the woman? There is another painting, monochromatic, in geyish greens, of faint and evanescent silhouettes. In his painting the artist appears to be suggesting a theatre of shadows in which only the profiles and silhouettes stand out, creating a world of suspicions and intentions, of stealthy movements. Perhaps the presence of the unconscious and of "another world" along with the unmasking of the being, is what always appears behind the portrait.

A different vision is presented in his engravings, since Cienfuegos suggests a manifested liberty which emerges as an extension of his drawings and sketches. Here are the crowds, the urban landscape with its skyscrapers and the chaotic behavior of its characters in the city. The dressing room, the naked figure, the trees and hundreds of small details produced through

⁝ O outro retrato -de corpo inteiro-, "Retrato de uma Dama", nos mostra duas realidades pictóricas importantes ou, melhor dito, o contraponto de duas ficções. A retratada, realizada como uma pintura oficial, expõe com sua pose a situação de um corpo que está frente a um pintor da corte que, acompanhada de um pequeno cachorro buldog, é apresentada pelo artista com suas melhores vestes. Mas, que curioso, O que há por trás desta mulher?, efetivamente existe outro quadro, monocromático, de cinzas esverdeados, de silhuetas tênues e esfumaçantes. O artista parece sugerir em sua pintura o teatro das sombras, no qual se destacam apenas perfis e silhuetas que geram todo um mundo de suspeitas e intenções de sigilosos movimentos. Talvez, a presença do inconsciente e de um "outro mundo" ligadas ao desmascaramento do ser, é o que aparece sempre por trás do retrato.

Outro é o olhar que se desdobra em suas gravuras, já que Cienfuegos propõe uma liberdade declarada, que surge como um prolongamento de seus croquis, de seus desenhos e esboços. Aí estão as multidões, a paisagem urbana com seus arranha-céus e o comportamento caótico de suas personagens na cidade. Assim, o vestuário, a nudez, as árvores e centenas de pequenos detalhes que, realizados mediante a linha e a cor, vão criando cenas e histórias que a imaginação do artista vai construindo para que nossos olhos contemplem essas narrativas e assim, poder entrar na ficção da arte como realidade.

Gaspar Galaz

Licenciado em escultura. Professor titular de Escultura, e de teoria e história da Arte no instituto de Estética e Escola de Arte da Pontifícia Universidade Católica do Chile. Docente do Mestrado em Artes na mesma instituição. Foi professor de História da Arte na Faculdade de Artes da universidade Finis Terrae entre 1990-1996.

Exerceu a função de curador de diversas exposições. Pesquisador da arte chilena, publicou várias obras tanto sobre pintura, escultura e outras áreas das artes visuais, entre as quais se destacam os livros "A Pintura no Chile, desde a época da colônia até 1981" e "Arte Chilena Atual" em colaboração com Milan Ivelic.

Ainda, participou de diversos fóruns e congressos. Em acréscimo, realizou programas de televisão como "Derrubando o muro" I e II na televisão UCV e "Arte na Câmara" na Televisão da Câmara de Deputados.

Participou de inúmeras mostras individuais e coletivas no Chile e no exterior. Suas obras estão em coleções particulares e no acervo permanente do Museu Nacional de Belas Artes do Chile.

Antes del Aperitivo
Oleo sobre Tela, 2004
139 x 200 cms.
Colección particular

Antes do Aperitivo
Oleo sobre Tela, 2004
139 x 200 cms.
Coleção particular

Before the Aperitif
Oil on canvas, 2004
139 x 200 cms.
Private collection

After Petrus Christus
Oleo sobre Tela, 2006
131 x 92 cms.
Colección particular

After Petrus Christus
Oleo sobre Tela, 2006
131 x 92 cms.
Coleção particular

After Petrus Christus
Oil on canvas, 2006
131 x 92 cms.
Private collection

Paisaje Decimonónico
Oleo sobre tela, 2005
130 x 160 cms.
Colección particular

Décima Nona Paisagem
Oleo sobre tela, 2005
130 x 160 cms.
Coleção particular

19th Landscape
Oil on canvas, 2006
131 x 92 cms.
Private collection

Ama de Llaves
Oleo sobre tela, 2007
120 x 100 cms.
Colección particular

Senhora das Chaves
Oleo sobre tela, 2007
120 x 100 cms.
Coleção particular

Keeper of Keys
Oil on canvas, 2007
120 x 100 cms.
Private collection

Cool Fashion
Oleo sobre tela, 2007
120 x 100 cms
Colección particular

Moda "Cool"
Oleo sobre tela, 2007
120 x 100 cms
Coleção particular

Cool Fashion
Oil on canvas, 2007
120 x 100 cms
Private collection

Fibonacho II
Oleo sobre tela, 2006
115 x 76 cms.
Colección particular

Fibonacho II
Oleo sobre tela, 2006
115 x 76 cms.
Coleção particular

Fibonacho II
Oil on canvas, 2006
115 x 76 cms.
Private collection

Las Gemelas (díptico)
Oleo sobre tela, 2003
160 x 140 cms.
Colección particular

As gêmeas
Oleo sobre tela, 2003
160 x 140 cms.
Coleção particular

The Twins
Oil on canvas, 2003
160 x 140 cms.
Private collection

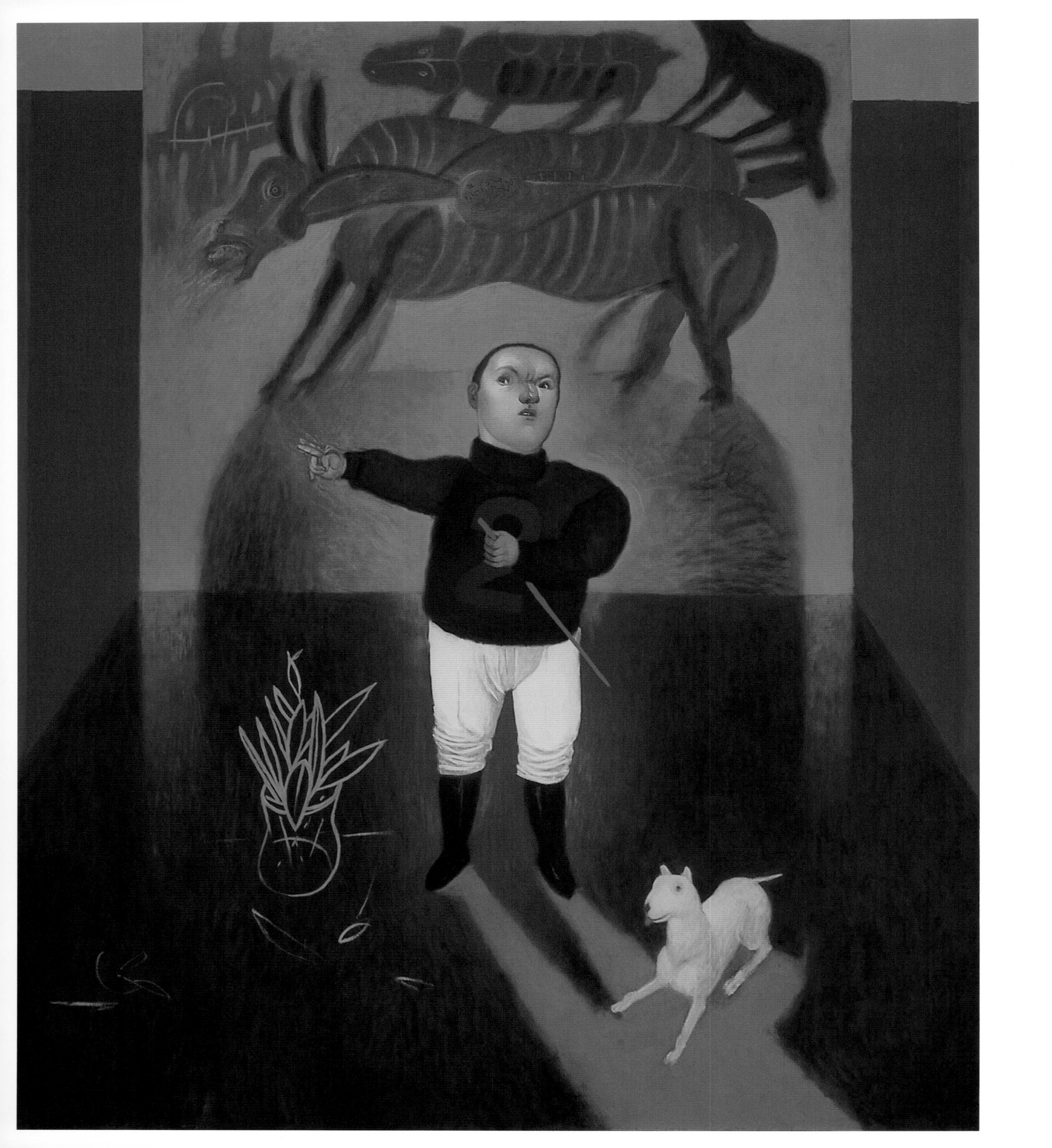

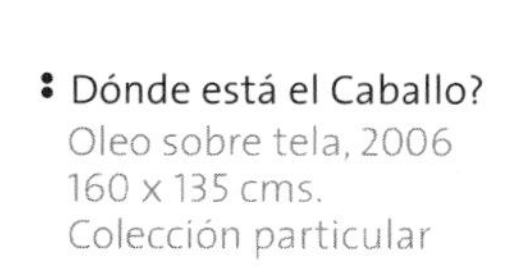

Dónde está el Caballo?
Oleo sobre tela, 2006
160 x 135 cms.
Colección particular

Onde está o Cavalo?
Oleo sobre tela, 2006
160 x 135 cms.
Coleção particular

Where is the Horse?
Oil on canvas, 2006
160 x 135 cms.
Private collection

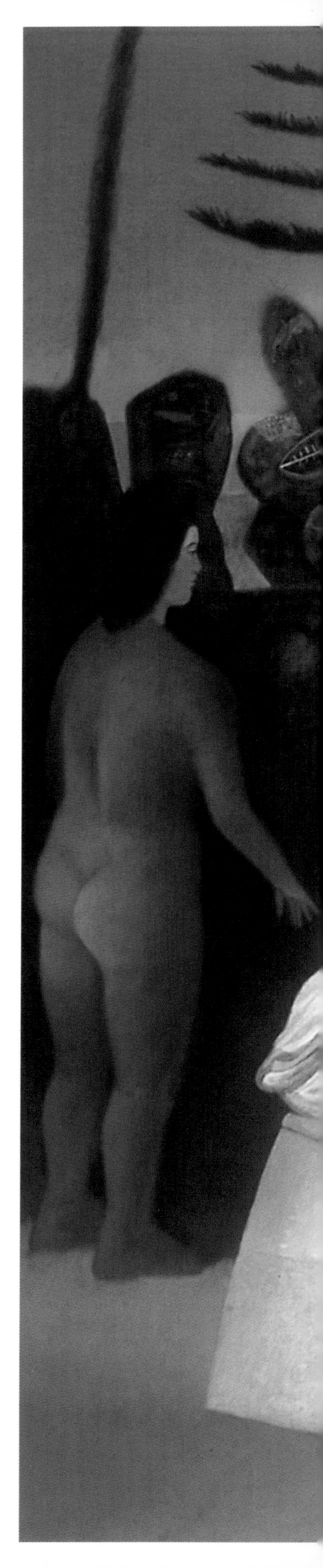

Gestación de Vicente
Oleo sobre tela, 2002
165 x 180 cms.
Colección particular

Gestação de Vicente
Oleo sobre tela, 2002
165 x 180 cms.
Coleção particular

Vincent's Gestation
Oil on canvas, 2002
165 x 180 cms.
Private collection

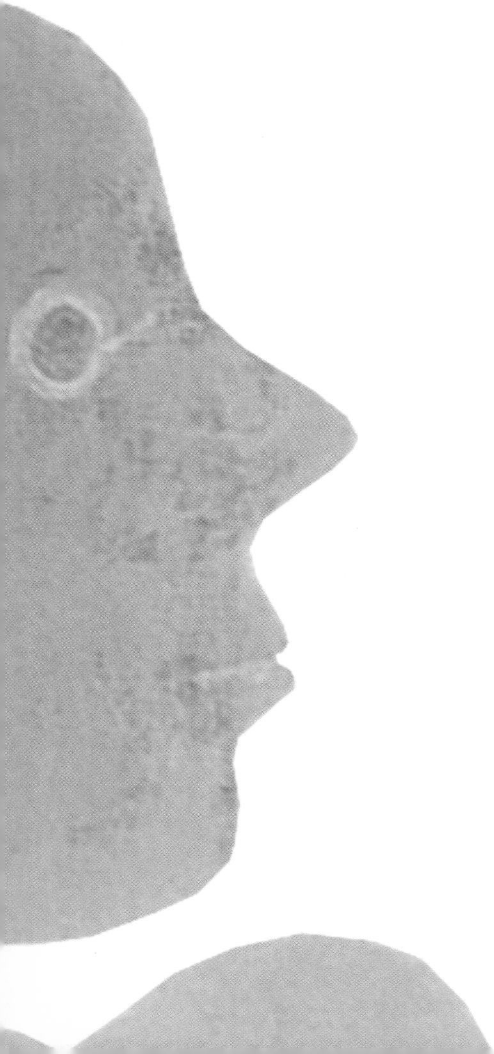

Retrato de una Dama
Oleo sobre tela, 2006
172 x 123 cms.
Colección particular

Retrato de uma Dama
Oleo sobre tela, 2006
172 x 123 cms.
Coleção particular

Portrait of a Lady
Oil on canvas, 2006
172 x 123 cms.
Private collection

El Huevo de Colón
Oleo sobre tela, 2004
140 x 160 cms.
Colección particular

O Ovo de Colombo
Oleo sobre tela, 2004
140 x 160 cms.
Coleção particular

The Columbus Egg
Oil on canvas, 2004
140 x 160 cms.
Private collection

La Pregunta Indiscreta
Oleo sobre tela, 2004
160 x 185 cms.
Colección particular

A Pergunta Indiscreta
Oleo sobre tela, 2004
160 x 185 cms.
Coleção particular

Inappropriate Question
Oil on canvas, 2004
160 x 185 cms.
Private collection

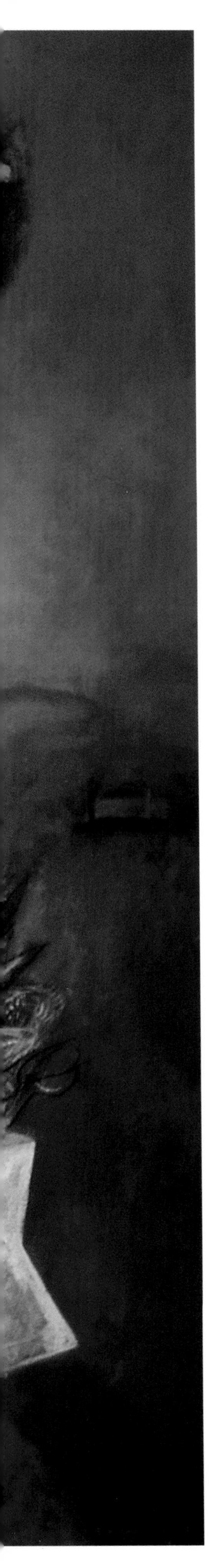

El Espectro de Adán
Oleo sobre tela, 1996
160 x 180 cms.
Colección particular

O espectro de Adão
Oleo sobre tela, 1996
160 x 180 cms.
Coleção particular

Adam's spectre
Oil on canvas, 1996
160 x 180 cms.
Private collection

Retrato de un Gentil Hombre
Oleo sobre tela, 2006
100 x 80 cms.
Colección particular

Retrato de um Gentil Homem
Oleo sobre tela, 2006
100 x 80 cms.
Coleção particular

Portrait of a Gentle Man
Oil on canvas, 2006
100 x 80 cms.
Private collection

m.g. cienfuegos b.
2006

gonzalo cienfuegos

Gonzalo Cienfuegos

Nace en Santiago de Chile en 1949.
Estudia Arquitectura y Bellas Artes en la Universidad de Chile.
En 1970 viaja a México DF donde permanece cuatro años.
Continúa sus estudios en arte en La Escuela de Pintura y Escultura Esmeralda.
Trabaja en diseño gráfico, ilustración y arquitectura.
En 1974 se instala en Buenos Aires, Argentina.
En 1975 regresa a Santiago, Chile.
Licenciado en Arte en la Universidad Católica de Santiago de Chile.
Profesor Titular de Arte de la Pontificia Universidad Católica de Chile.
Miembro de número de La Academia de Bellas Artes del Instituto de Chile.
Pintor, escultor, grabador y escenógrafo.
Vive y trabaja en Santiago de Chile.

Gonzalo Cienfuegos

Nasceu em Santiago do Chile, em 1949.
Estuda Arquitetura e Belas Artes na "Universidad de Chile".
Em 1970 viaja ao México DF onde permanece por quatro anos.
Continua seus estudos de arte na "Escuela de Pintura y Escultura Esmeralda"
Trabalha em desenho gráfico, ilustração e arquitetura.
Em 1974 instala-se em Buenos Aires, Argentina.
Em 1975 regressa a Santiago, Chile.
Licenciado em Arte pela "Universidad Católica de Santiago de Chile".
Professor titular de Arte da "Pontificia Universidad Católica de Chile".
Membro titular da "Academia de Bellas Artes del Instituto de Chile".
Pintor, escultor, gravador e decorador.
Vive e trabalha em Santiago do Chile.

Gonzalo Cienfuegos

Born in Santiago, Chile in 1949.
Studies Architecture and Fine Arts at "Universidad de Chile".
In 1970 travels to Mexico DF where stays for four years.
Continues his art studies at "Escuela de Pintura y Escultura Esmeralda".
Works with graphic design, illustration and architecture.
In 1974 moves to Buenos Aires, Argentina.
In 1975 returns to Santiago, Chile.
Teaching Certificate in Arts at "Universidad Católica de Santiago de Chile".
Full Professor of Arts at "Pontificia Universidad Católica de Chile".
Regular member of the "Academia de Bellas Artes del Instituto de Chile".
Painter, sculptor, engraver and scenographer.
Lives and works in Santiago, Chile.

Exposiciones Individuales

2007 "Galería Imaginaria", Galería Animal, Santiago, Chile.

2003 Galería Isabel Aninat, Pinturas, Santiago, Chile.
Museo Ralli, Marbella, España.
Galería Cecilia Palma, Dibujos, Santiago, Chile.
Galería Animal, Esculturas y Grabados, Santiago, Chile.
Galería de Arte Municipal, Temuco, Chile.

2002 Museo Ralli, Punta del Este, Uruguay.
Centro Cultural El Almendral, San Felipe, Chile.

2001 Art Chicago, Galería Tomás Andreu, Chicago, USA.

2000 Galería Tomás Andreu, Santiago, Chile.
Fiac, Galería Tomás Andreu, París, Francia.

1999 Fiac, Galería Tomás Andreu, París, Francia.
Museum of Latin American Art. Logn Beach, California, U.S.A.
Museo José Luis Cuevas, México D.F.
Pinacoteca de Nuevo León, Monterrey, México.
FIAC 99. Galería Tomás Andreu, Paris, Francia.

1998 Museo Nacional de Bellas Artes, Santiago, Chile.
Art Miami, Galería Tomás Andreu, Miami, U.S.A.

1997 Museo Ralli, Punta del Este, Uruguay.

1996 Galería Caballo Verde, Concepción, Chile

1995 Galería Modigliani, Viña del Mar, Chile.

1993 Galería Tomás Andreu, Santiago, Chile.
Sala Manuel Robles, Renca, Santiago, Chile.

1992 Art in Miami, Galería Aberbach Fine Art, Miami, U.S.A.

1990 FIAC Grand Palais, Aberbach Fine Art, Paris, France.

1989 FIAC Grand Palais, Aberbach Fine Art, Paris, France.

1988 Aberbach Fine Art, Nueva York, USA.

1987 Galería Lagard, Buenos Aires, Argentina.

1986 Galería Lagard, Buenos Aires, Argentina.

1985 Sala Municipal, Concepción, Chile.

1984 Galería Epoca, Santiago, Chile.

1981 Sala UC. Sergio Larraín, U.C. Santiago, Chile.

1979 Galería Epoca, Santiago, Chile.

1977 Galería Bonino, Río de Janeiro, Brasil.

1976 Museo de Arte Assis de Chateaubriand, ¨Masp¨, Sao Pablo, Brasil.

1975 Galería Lagard, Buenos Aires, Argentina.
Galería Imagen, Santiago, Chile.

1974 Galería Biguá, San Pedro, Argentina.
Galería Arte Joven, México DF., México.
Galería Lagard, Buenos Aires, Argentina.

1972 Galería Eduard Munch, México DF.
Instituto Francés para América Latina IFAL., México DF., México.

1969 Galería Casa de la Luna Azul, Santiago, Chile.

Exposiciones Colectivas

2007 Matta und Cienfuegos. Gestalten der chilenischen Kunst. Instituto Cervantes, Viena, Austria.

2006 Bienal de arte latinoamericano, Galería Espacio, San Salvador, Salvador.
Feria de arte de Bogotá, Bogotá ,Colombia.
Arte UC, Galería Universidad, Lima, Perú.
Aldunate, Lira, Cienfuegos, Instituto Cultural de las Condes, Santiago, Chile.

2005 Arte UC, Centro Cultural la Recoleta, Buenos Aires, Argentina.

2003 Nueve de la Academia: Museo Nacional De Bellas Artes. Santiago, Chile.

2002 Galería Lucía de la Puente, Lima, Perú.
Galería Marlborough, Santiago, Chile.

2001 Museo de arte de Valdivia MAV, Valdivia, Chile
Museo de Arte Contemporáneo, MAC,
Imágenes de la Vida Buena, Santiago, Chile.

2000 Autorretratos, Galería Palma Valdes, Santiago, Chile.
Cien Años Arte Chileno. Museo Nacional de Bellas Artes.
Segunda y Tercera Parte, Santiago, Chile.
Grand Prix de Mónaco, Mónaco.
Vistiendo el Arte, Galería Cecilia Palma, Santiago, Chile.
Galería Tomás Andreu, Santiago, Chile.

1998 "Arte y psicopatología", Galería Tomás Andreu, Santiago, Chile.
City Gallery, Wellington, New Zealand
Museo Nacional de Bellas Artes, Santiago, Chile
Museo Pedro de Osma, Lima, Perú.
Galería Marlborough, Santiago, Chile.

1997 Museo Mucsarnok, Budapest, Hungary.
Museo de la Revolución, Moscow, Rusia.
Sala Municipal de Helsinski, Finland.
Maison de l´Amerique Latine, Paris, France.
Museo Sogetsu, Tokio, Japan. Osaka Contemporary Art Center. Osaka, Japan.
"25 Elegidos de la Historia del Arte Chileno". Instituto Cultural de Las Condes, Santiago, Chile.
ARCO 1997, Galería Marlborough, Madrid,Spain.
¨Four Chilean Artist¨, Marlborough, Madrid, España.

1996 Sala Municipal, Viña del Mar, Chile.
Casa de la Intendencia, Punta Arenas, Chile
Galería Bosque Nativo, Puerto Varas, Chile.
Galería Tomás Andreu, Santiago, Chile.
Helligaandshuset, Copenhague, Dinamarca.
Centro de Arte Moderno, Warsaw, Polonia.
Instituto Italo-Latinoamericano, Roma, Italia.
Casa de las Américas, Madrid, España.
Sala Banco Bilbao Vizcaya, Barcelona, España.
Sala Manes, Praga, Checoslovaquia.

1995 "Artistas Educadores", Instituto Cultural de Providencia, Santiago, Chile.
"600 Seoul International Art Festival", National Museum of contemporary Art, Seoul, Korea.
"La Eterna Hélade", Museo lo Matta, Santiago, Chile.
"La Eterna Hélade, Museo Peryades, Athens, Greece.
Feria Internacional de Arte de Caracas, Galería Acquavella, Caracas, Venezuela.
Galería Acquavella, Caracas, Venezuela.
Muestra de Países no Alienado, Jakarta, Indonesia.
"Pintura", Universidad de Talca, Talca, Chile.
"Tres Autores", Sala Cultural, Palmilla, Chile.
"Bienal Universitaria", Congreso Nacional, Valparaiso, Chile
"Arte Chileno", Museo de Osaka, Osaka, Japan.
Museo Sternersen, Oslo, Norway.
Folkets Huus Norra Latin, Estocolmo, Suecia.
Uppsland Vasby, Estocolmo, Suecia.
Pulchri Studio, La Haya, Suecia.

1994 "Imágenes Donosianas", Galería Gabriela Mistral, Santiago, Chile.
"La Familia", Galería San Francisco Kelmpinsky, Santiago, Chile.
Salas Nacionales de Cultura (Palais de Glace), Buenos Aires, Argentina.
Sala Patiño, Génova, Suiza.

1992	"Chile Today", Museo Hara Arc. Tokio, Japón. "Dibujo 92", Galería Epoca, Santiago, Chile. "Dibujo", Galería San Francisco Kempinsky, Santiago, Chile.
1991	"Artes Plásticas en La Universidad de Paris y Católica de Santiago", Centro de Extens ión de la Universidad Católica de Santiago, Chile. Art in Chicago, Aberbach Fine Art, Chicago, USA.
1990	Homenaje a Van Gogh, Galería Arte Actual, Santiago, Chile. "Retrato del Medio Ambiente", Galería del Cerro, Santiago, Chile. "Museo Abieto",Museo Nacional de Bellas Artes, Santiago, Chile.
1987	Traditional/Innovation in Latin American Art. Nueva York, USA "El Desnudo". Galería Epoca, Santiago, Chile. "A Toda Pintura". Galería Arte UC. Santiago, Chile. "Pequeño Formato". Galería del Cerro. Santiago, Chile.
1986	Plástica Chilena Horizonte Universal, Museo Nacional de Bellas Artes, Santiago, Chile. Diez Años de Galería Epoca, Santiago, Chile.
1984	Ayer y Hoy, Galería Epoca, Santiago, Chile.
1983	Pintura Contemporánea, Galería Epoca. Santiago, Chile.
1982	"Profesores de Arte Universidad Católica" , Sala Sergio Larraín, Santiago, Chile. "Pintura Contemporánea", Galería Epoca. Santiago, Chile.
1981	Segundo Encuentro "Arte Industria", Museo Nacional de Bellas Artes. Santiago, Chile.
1980	"Poesía de Israel vista por Pintores chilenos". Museo Nacional de Bellas Artes. Santiago, Chile. Primer Encuentro "Arte Industria". Museo Nacional de Bellas Artes. Santiago, Chile. "Adán Y Eva". Galería Epoca, Santiago, Chile. "Concurso Centenario". Museo Nacional de Bellas Artes. Santiago, Chile. "Pintura Contemporánea". Galería Epoca, Santiago, Chile.

1979 Bienal de Arte de Maldonado, Punta del Este, Uruguay.
XV Bienal de Arte, Sao Pablo, Brasil.
Exposición Apertura Galería Arte Actual, Santiago, Chile.
"Pintura Contemporanea Chilena", Instituto Cultural de Las Condes. Santiago, Chile.

1978 Segunda Exposición Itinerante de Pintura Chilena Contemporánea.
Concurso de Pintura y Gráfica, Museo Nacional de Bellas Artes, Santiago,Chile.
Galería Skriba. Santiago, Chile.

1977 Fundación Joan Miró. Barcelona, España.

1976 Galería NQ. Buenos Aires, Argentina.
Sala Diego Portales. Viña del Mar, Chile.
Siglo y medio de Pintura Chilena. Instituto Cultural de las Condes. Santiago Chile.
Segundo Concurso Colocadora Nacional de Valores. Museo Nacional de Bellas Artes. Santiago, Chile.
Fundación Joan Miró, Barcelona, España.

1975 Primer Concurso "Colocadora Nacional de Valores". Museo Nacional de Bellas Artes. Santiago, Chile

1974 Galería Lagard. Buenos Aires, Argentina.

1973 Galería Lagard, Buenos Aires, Argentina.

1972 Palacio Clavijero. Morelia, México.

1971 Galería Chapultepec, México DF.
Galería Eduard Munch. México DF.
Instituto Francés de Toluca, Toluca México.

1968 Salón CRAV, Museo de Arte Contemporáneo. Santiago, Chile.
Concurso de Pintura, Escuela de Arquitectura de la Universidad de Chile, Santiago, Chile.

1966 Concurso de Pintura Escolar Villa Maria Academy. Santiago, Chile.

Premios

1998 Premio Artista de la Década. Revista CARAS.

1994 Premio Creación Artística. Universidad de Artes, Ciencia y Comunicación, UNIACC. Santiago, Chile.

1980 Primer Premio Dibujo, 2a Bienal de Arte de Maldonado, Uruguay.

1980 Mención Honrosa, Concurso Centenario de Pintura y Escultura del Museo Nacional de Bellas Artes. Santiago, Chile.

1979 Premio de la Crítica. Círculo de Críticos de Arte . Santiago, Chile.

1975 Segundo premio Concurso Colocadora Nacional de Valores. Museo Nacional de Bellas Artes. Santiago, Chile.

1968 Primer Premio Concurso de Pintura, Facultad de Arquitectura de la Universidad de Chile. Santiago, Chile.

Obras en Museos

Museo Nacional de Bellas Artes, Santiago, Chile.
Museo de Arte Latinoamericano MOLAA, Long Beach, Califorina. U.S.A.
Museo Ralli. Punta del Este, Uruguay.
Museo Ralli. Santiago, Chile.
Museo Ralli. Cesarea, Israel.
Museo Ralli. Marbella, España.
Museo de Arte Assis de Chateaubriand, Sao Pablo, Brasil.
Archer M. Huntington Art Gallery. University of Texas, Austin, Texas. U.S.A.
The Chase Manhattan Bank Collection. New York. U.S.A.
The Chase Manhattan Bank. Santiago, Chile.
Scotiabank. Santiago, Chile.
The Citibank. Santiago, Chile.

Bibliografia

Gonzalo Cienfuegos
Aberbach Fine Art / Galería de Arte Tomás Andreu.
Textos de Gerrit Henry y Raúl Zurita
Santiago, Chile.

Cultura y Trabajo
Asociación Chilena de Seguridad ACHS.
Textos de Claudia Campaña y Justo Pastor Mellado
Santiago, Chile. 1996

La Pintura Chilena desde Gil de Castro hasta Nuestros Días
Ricardo Bindis Fuller
Santiago, Chile. 1979

La Pintura en Chile desde la Colonia hasta 1981
Gaspar Galaz y Milan Ivelic
Ediciones Universitarias de Valparaíso. Universidad Católica de Valparaíso. Santiago, Chile, 1988

Chile Arte Actual
Gaspar Galaz y Milan Ivelic
Ediciones Universitarias de Valparaíso. Universidad Católica de Valparaíso.

Historia de la Pintura Chilena
Antonio Romera
Editorial Andrés Bello.
Santiago, Chile. 1976

Cienfuegos: Pintura, Gráfica y Escultura.
Textos:
David Gallagher
Raúl Zurita
Gaspar Galaz
Justo Pastor Mellado.
Ediciones Tomás Andreu
Santiago, Chile. 1997

Four Chilean Artist. Works on Paper
Marlborough Gallery.
New York, U.S.A. 1997

Gonzalo Cienfuegos
20 años después
Texto Milan Ivelic
Museo José Luis Cuevas
Ediciones Tomás Andreu
Santiago Chile.

Cienfuegos.
Obra reciente.
Texto: Benjamin Lira
Ediciones Tomás Andreu.
Santiago Chile.

Cienfuegos
Museo Nacional de Bellas Artes
Retrospectiva.
Texto: Milan Ivelic.
Corporación Amigos Museo Nacional de Bellas Artes.
Santiago Chile.

Cienfuegos
Obra Gráfica
Ediciones Galería Cecilia Palma
Texto : Claudia Campaña

Diarios
Benmayor, Bororo, Cienfuegos
Domínguez, Lira, Pinto D´Aguiar
ENTEL Chile
Texto: Paola Doberti

Escenografías

Escenografía y vestuario opera Orfeo y Eurídice de K. W. Gluck.
Teatro Municipal. Santiago Chile.

Artículos publicados

2000 Presentación catálogo de pinturas y dibujos de Hernán Duval Valenzuela. Museo Lo Matta, Santiago Chile.

1999 Presentación Benito Rojo Lorca, Academia de Bellas Artes del Instituto de Chile. Santiago Chile.

2001 Presentación catálogo pinturas de Carlos Ampuero. Galería T. Andreu. Santiago Chile.

1999 Mercado de Arte. Revista Universitaria UC. Santiago Chile.

1999 Presentación catálogo pinturas de Gabriela Ortiz y Francisca Uribe-Etcheverría. Sala Hotel San Francisco. Santiago Chile.

2000 Presentación catálogo de pinturas Bernardita Larraín. Sala Municipal de Temuco Chile.

1992 Texto: ¨La Técnica en las Artes Visuales¨, discurso de incorporación a la Academia de Bellas Artes del Instituto de Chile. Santiago Chile.

Actividad Administrativa

Jefe de línea de Pintura desde 1999. Escuela de Arte Pontificia Universidad Catolica de Chile.
Miembro permanente de Comité Metroarte. Metro de Santiago.
Miembro asesor Comisión Bicentenario. Presidencia de la República.
Miembro consultor Fundación Paz Ciudadana.
Jurado ocacional de concursos de arte.
Miembro del directorio de Fundación Tiempos Nuevos hasta año 2000
Consejero Académico de la Escuela de Arte de la Pontificia Universidad Catolica de Chile.

www.gonzalocienfuegos.com

1992

Haberlo Sabido Antes, pinturas de Hermenegildo Sábat, artista plástico uruguayo, frases recopiladas. 5000 ejemplares. Reedición en 1999, 4000 ejemplares.

Ah! Se Tivesse Sabido Antes, pinturas de Hermenegildo Sábat, artista plástico uruguaio, frases recopiladas, 5000 exemplares. Reedição em 1999, 4000 exemplares.

Ah! if I had Know Before, paintings by Hermenegildo Sábat, uruguayan artist, compiled phrases.5000 copies. Reprint in 1999, 4000 copies.

1993

Natura I, fotografías de lugares típicos de regiones de Latinoamérica, poesía.5000 ejemplares.

Natura I, fotografías de lugares tipicos de regiões de Latinoaméricas, poesía.5000 exemplares.

Natura I, photography of typical regions of Latin American, poetry. 5000 copies.

1994

El Otro, la Otra y la Otredad, pinturas de Luis Felipe Noé, artista plástico argentino, frases recopiladas. 7000 ejemplares.

O Outro, A Outra e a "Outredade", pinturas de Luis Felipe Noé, artista plástico argentino, frases recopiladas. 7000 exemplares.

Others, The Other and the Otherness, paintings by Luis Felipe Noé, argentinian artist, compiled phrases. 7000 copies.

1995

Un Diccionario de Sabiduría, pinturas de Gustavo Salamea, artista plástico colombiano, frases recopiladas. 7000 ejemplares.

Um Dicionário de Sabedoría, pinturas de Gustavo Salamea, artista plástico colombiano, frases recopiladas. 7000 exemplares.

A Dictionary of Wisdom, paintings by Gustavo Salamea, colombian artist, compiled phrases. 7000 copies.

1996

Los Versos del Capitán, poemas de Pablo Neruda, escritor chileno y pinturas de Raúl Soldi, artista plástico argentino. 8000 ejemplares.

Os Versos do Capitão, poemas de Pablo Neruda e pinturas de Raúl Soldi, artista plástico argentino. 8000 exemplares.

The Captains Verses, poetry by Pablo Neruda, chilean writer and paintings by Raúl Soldi, argentinian artist. 8000 copies.

1997

La Alquimia de Nuestro Tiempo, pinturas y textos de Pedro León Zapata, artista plástico venezolano. 10.000 ejemplares.

Alquimia de Nosso Tempo, pinturas e textos de Pedro León Zapata, artista plástico venezolano. 10.000 exemplares.

Alquimy of our time, paintings and texts by Pedro León Zapata, venezuelan artist. 10.000 copies.

1998

La Vida Late, pinturas de Sirón Franco artista plástico brasileño y poesías de Ferreira Gullar, escritor brasileño.
16.000 ejemplares.

A Vida Bate, pinturas de Sirón Franco artista plástico brasileiro e poesias de Ferreira Gullar, escritor brasileiro.
16.000 exemplares.

Life Beats, paintings by Sirón Franco, brazilian artist and poetry by Ferreira Gullar, brazilian writer.
16.000 copies.

1999

Amor es Más Laberinto, poemas de Sor Juana Inés de la Cruz, escritora mexicana y pinturas de Jorge Marín, artista plástico mexicano.
12.000 ejemplares.

Amor é Mais Labirinto, poemas de Sor Juana Inés de la Cruz, escritora mexicana e pinturas de Jorge Marín, artista plástico mexicano.
12.000 exemplares.

Love is More Labyrinth, poetry by Sor Juana Inés de la Cruz, Mexican Writer and paintings by Jorge Marín, mexican artist. 12.000 copies.

2000

Teatro popular, pinturas de Ricardo Cinalli, artista plástico argentino y textos de Rodolfo Rabanal, Renato Rita y Raúl Santana.
15.000 ejemplares.

Teatro popular, pinturas de Ricardo Cinalli, artista plástico argentino e textos de Rodolfo Rabanal, Renato Rita e Raul Santana.
15.000 ejemplares.

Popular theater, paintings by Ricardo Cinalli, argentinian artist and texts by Rodolfo Rabanal, Renato Rita e Raul Santana. 15.000 copies.

2002

De Sueños y Mares..., pinturas de Alberto Thormann y textos de Ezequiel Garma Feijóo.7.000 ejemplares.

De Sonhos e Mares..., pinturas de Alberto Thormann e textos de Ezequiel Garma Feijóo.7.000 exemplares.

Of Dreams and Seas..., paintings by Alberto Thormann and texts by Ezequiel Garma Feijóo.7.000 copies.

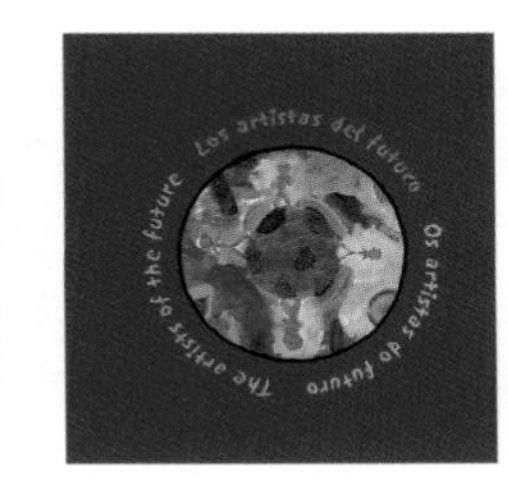

2003

Los Artistas del Futuro, dibujos y frases de niños entre 6 y 14 años, de siete países latinoamericanos .
7.000 ejemplares.

Os Artista do Futuro, desenhos e frases de crianças entre 6 e 14 anos, de sete países latinoaméricanos .
7.000 exemplares.

The Artists of the Future, drawings and phrases of 6 to 14 years old kids, from seven latin american countries.
7.000 exemplares.

2004

Los Habitantes de Otro Lado, pinturas de Carlos Revilla, radicado en Perú, textos de M. Vargas Llosa , C. Herrera, C. Calvo y A. Cisneros, 7.800 ejemplares.

Os Habitantes Do Outro Lado, pinturas de Carlos Revilla, radicado no Peru, textos de M. Vargas Llosa, C. Herrera, C. Calvo e A. Cisneros. 7.800 exemplares.

The Inhabitants from the Other Side, paintings by Carlos Revilla, Perú, texts by M.Vargas Llosa, C. Herrera, C. Calvo and A. Cisneros.
7.800 copies.

2006

Café Extréss, pinturas de Carlos Rosero, artista plástico ecuatoriano,textos de Susana Mariño, Marco Antonio Rodríguez y Manuel Esteban Mejía. 7.000 ejemplares.

Café Extrésse, pinturas de Carlos Rosero, artista plástico ecuatoriano, textos de Susana Mariño, Marco Antonio Rodríguez e Manuel Esteban Mejía. 7.000 exemplares.

Coffee Extress, paintings by Carlos Rosero, ecuatorian artist, texts by Susana Mariño, Marco Antonio Rodríguez and Manuel Esteban Mejía. 7.000 copies.

Actividad Administrativa

Editor Responsable:
Paula Vivo

Dirección y Producción:
Francisca Besa

Diseño y diagramación:
Costabal &Rivas

Dirección de Arte:
Alejandra Rivas

Textos:
Pedro Celedón
Gaspar Galáz

Fotografía:
Patricia Novoa

Fotocromía en impresión:
Gráfica Biblos

ISBN 978-956-8602-01-7
Registro Propiedad Intelectual:
166172
Santiago, Chile

Este libro fue impreso en
Noviembre 2007 en
Gráfica Biblos,
con un tiraje de 7.000
ejemplares,
Lima Perú.